Die Enchilada-Küche

Entdecken Sie die besten Enchilada-Rezepte für authentische, würzige und köstliche mexikanische Küche.

Daniela Otto

INHALTSVERZEICHNIS

EINFÜHRUNG

Willkommen bei Die Enchilada-Küche, wo wir die lebendigen und vielfältigen Aromen Mexikos durch das köstliche und wohltuende Gericht Enchiladas zelebrieren. In diesem Kochbuch finden Sie 100 köstliche Rezepte, die die reichen kulinarischen Traditionen Mexikos widerspiegeln und eine Vielfalt an Geschmacksrichtungen und Texturen bieten, die jeden Gaumen zufrieden stellen. Von klassischen Enchiladas bis hin zu kreativen Variationen des beliebten Gerichts – in diesem Kochbuch ist für jeden etwas dabei. Ob Sie es lieber scharf oder mild, fleischig oder vegetarisch, käsig oder leicht mögen, Sie werden ein Rezept finden, das Ihren Gaumen verwöhnt und Ihre Familie und Freunde beeindruckt.

- mexikanische Küche
- Würzige Aromen
- Herzhafte Füllungen
- Traditionelle Rezepte
- Hausgemachte Soßen
- Leicht verständliche Anweisungen
- Wohlfühlessen
- Familienfreundliche Mahlzeiten
- Vegetarische Optionen
- Mutig und lecker

Jedes Rezept in diesem Kochbuch wurde sorgfältig ausgearbeitet, um maximalen Geschmack und Authentizität zu gewährleisten. Wir haben detaillierte Anweisungen und hilfreiche Tipps beigefügt, die Sie durch den Prozess der Enchiladas-Zubereitung von Grund auf führen, sodass Sie selbst als Anfänger in der Küche im Handumdrehen Gerichte in Restaurantqualität zubereiten können.

Warum also nicht ein bisschen Mexiko in Ihre Küche holen und Ihr nächstes Fest mit köstlichen Enchiladas aufpeppen?

KÄSE-ENCHILADAS

1. Einfache Käse-Enchiladas

12 Maistortillas

3 Tassen geriebener Cheddar-Käse

1 Dose Enchiladasauce

1 gewürfelte Zwiebel

2 Knoblauchzehen

Salz und Pfeffer nach Geschmack

Heizen Sie den Ofen auf 375 °F vor. In einem Topf Enchiladasauce, Zwiebel und Knoblauch bei mittlerer Hitze erhitzen. Tauchen Sie die Tortillas in die Sauce und legen Sie sie in eine 23 x 33 cm große Auflaufform. Füllen Sie jede Tortilla mit geriebenem Käse und rollen Sie sie auf. Die restliche Soße über die Enchiladas gießen und mit zusätzlichem Käse bestreuen. 25-30 Minuten backen.

2. Cremige Käse-Enchiladas

12 Maistortillas

2 Tassen geriebener Monterey-Jack-Käse

2 Esslöffel Butter

2 Esslöffel Mehl

2 Tassen Hühner- oder Gemüsebrühe

1 Tasse Sauerrahm

Salz und Pfeffer nach Geschmack

Ofen auf 375°F vorheizen. In einer großen Pfanne Butter bei mittlerer Hitze schmelzen. Mehl einrühren und 1 Minute kochen lassen. Nach und nach die Brühe unter ständigem Rühren einrühren. Zum Kochen bringen und 2-3 Minuten kochen lassen, bis die Sauce eindickt. Vom Herd nehmen und saure Sahne einrühren. Tortillas 30 Sekunden lang in der Mikrowelle erwärmen. Füllen Sie jede Tortilla mit einer Handvoll Käse. Fest aufrollen und mit der Naht nach unten in eine gefettete Auflaufform legen. Die cremige Soße über die Enchiladas gießen. Mit zusätzlichem Käse bestreuen. Mit Folie abdecken und 20 Minuten backen. Folie entfernen und weitere 10–15 Minuten backen, bis der Käse geschmolzen ist und Blasen bildet.

3. Spinat-Käse-Enchiladas

12 Maistortillas
2 Tassen geriebener Monterey-Jack-Käse
1/4 Tasse gehackte Zwiebel
2 Knoblauchzehen, gehackt
2 Esslöffel Pflanzenöl
1 Packung (10 Unzen) gefrorener Spinat, aufgetaut und abgetropft
1 Dose (10 Unzen) grüne Enchiladasauce
Salz und Pfeffer nach Geschmack

Ofen auf 375°F vorheizen. In einer großen Pfanne Öl bei mittlerer Hitze erhitzen. Zwiebel und Knoblauch hinzufügen und ca. 5 Minuten kochen, bis die Zwiebel weich ist. Spinat hinzufügen und 1 Minute kochen lassen. Vom Herd nehmen. Tortillas 30 Sekunden lang in der Mikrowelle erwärmen. Füllen Sie jede Tortilla mit einer Handvoll Käse und einem Löffel der Spinatmischung. Fest aufrollen und mit der Naht nach unten in eine gefettete Auflaufform legen. Gießen Sie grüne Enchilada-Sauce über die Enchiladas. Mit restlichem Käse bestreuen. Mit Folie abdecken und 20 Minuten backen. Folie entfernen und weitere 10–15 Minuten backen, bis der Käse geschmolzen ist und Blasen bildet.

4. Drei-Käse-Enchiladas

12 Maistortillas
1 Tasse geriebener Cheddar-Käse
1 Tasse geriebener Monterey-Jack-Käse
1 Tasse geriebener Mozzarella-Käse
1/4 Tasse gehackte Zwiebel
2 Knoblauchzehen, gehackt
2 Esslöffel Pflanzenöl
1 Dose (10 Unzen) rote Enchiladasauce
Salz und Pfeffer nach Geschmack

Ofen auf 375°F vorheizen. In einer großen Pfanne Öl bei mittlerer Hitze erhitzen. Zwiebel und Knoblauch hinzufügen und ca. 5 Minuten kochen, bis die Zwiebel weich ist. Die Hälfte der Enchiladasauce hinzufügen und verrühren. Vom Herd nehmen. Tortillas 30 Sekunden lang in der Mikrowelle erwärmen. Mischen Sie die drei Käsesorten in einer Schüssel. Füllen Sie jede Tortilla mit einer Handvoll Käse und einem Löffel der Zwiebelmischung. Fest aufrollen und mit der Naht nach unten in eine gefettete Auflaufform legen. Die restliche Enchiladasauce über die Enchiladas gießen. Mit restlichem Käse bestreuen. Mit Folie abdecken und 20 Minuten backen. Folie entfernen und weitere 10–15 Minuten backen, bis der Käse geschmolzen ist und Blasen bildet.

5. Enchiladas mit schwarzen Bohnen und Käse

12 Maistortillas

2 Tassen geriebener Cheddar-Käse

1 Dose (15 Unzen) schwarze Bohnen, abgespült und abgetropft

1/4 Tasse gehackte Zwiebel

2 Knoblauchzehen, gehackt

2 Esslöffel Pflanzenöl

1 Dose (10 Unzen) rote Enchiladasauce

Salz und Pfeffer nach Geschmack

Ofen auf 375°F vorheizen. In einer großen Pfanne Öl bei mittlerer Hitze erhitzen. Zwiebel und Knoblauch hinzufügen und ca. 5 Minuten kochen, bis die Zwiebel weich ist. Schwarze Bohnen hinzufügen und 1 Minute kochen lassen. Vom Herd nehmen. Tortillas 30 Sekunden lang in der Mikrowelle erwärmen. Füllen Sie jede Tortilla mit einer Handvoll Käse und einem Löffel der schwarzen Bohnenmischung. Fest aufrollen und mit der Naht nach unten in eine gefettete Auflaufform legen. Gießen Sie rote Enchilada-Sauce über die Enchiladas. Mit restlichem Käse bestreuen. Mit Folie abdecken und 20 Minuten backen. Folie entfernen und weitere 10–15 Minuten backen, bis der Käse geschmolzen ist und Blasen bildet.

6. Enchiladas mit geröstetem Gemüse und Käse

12 Maistortillas

2 Tassen geriebener Monterey-Jack-Käse

1 rote Paprika, gewürfelt

1 grüne Paprika, gewürfelt

1 Zucchini, gewürfelt

1 gelber Kürbis, gewürfelt

1/4 Tasse gehackte Zwiebel

2 Knoblauchzehen, gehackt

2 Esslöffel Pflanzenöl

1 Dose (10 Unzen) grüne Enchiladasauce

Salz und Pfeffer nach Geschmack

Ofen auf 375°F vorheizen. Gewürfeltes Gemüse in Öl geben und auf einem Backblech bei 200 °C 15–20 Minuten rösten, bis es weich ist. In einer großen Pfanne Öl bei mittlerer Hitze erhitzen. Zwiebel und Knoblauch hinzufügen und ca. 5 Minuten kochen, bis die Zwiebel weich ist. Geröstetes Gemüse dazugeben und umrühren. Vom Herd nehmen. Tortillas 30 Sekunden lang in der Mikrowelle erwärmen. Füllen Sie jede Tortilla mit einer Handvoll Käse und einem Löffel der Gemüsemischung. Fest aufrollen und mit der Naht nach unten in eine gefettete Auflaufform legen. Gießen Sie grüne Enchilada-Sauce über die Enchiladas. Mit restlichem Käse bestreuen. Mit Folie abdecken und 20 Minuten backen. Folie entfernen und weitere 10–15 Minuten backen, bis der Käse geschmolzen ist und Blasen bildet.

7. <u>Weißkäse-Enchiladas</u>

12 Mehl-Tortillas
2 Tassen geriebener Monterey-Jack-Käse
2 Esslöffel Butter
2 Esslöffel Mehl
2 Tassen Hühner- oder Gemüsebrühe
1 Tasse Sauerrahm
1 Dose (4 Unzen) gehackte grüne Chilis
Salz und Pfeffer nach Geschmack

Ofen auf 375°F vorheizen. In einer großen Pfanne Butter bei mittlerer Hitze schmelzen. Mehl einrühren und 1 Minute kochen lassen, bis sich Blasen bilden. Nach und nach Hühner- oder Gemüsebrühe hinzufügen und zum Kochen bringen. Hitze reduzieren und 2-3 Minuten köcheln lassen, bis die Masse eingedickt ist. Vom Herd nehmen und saure Sahne und grüne Chilis unterrühren. Tortillas 30 Sekunden lang in der Mikrowelle erwärmen. Füllen Sie jede Tortilla mit einer Handvoll Käse. Fest aufrollen und mit der Naht nach unten in eine gefettete Auflaufform legen. Weiße Soße über die Enchiladas gießen. Mit restlichem Käse bestreuen. Mit Folie abdecken und 20 Minuten backen. Folie entfernen und weitere 10–15 Minuten backen, bis der Käse geschmolzen ist und Blasen bildet.

8. Enchiladas mit Rindfleisch und Käse

12 Maistortillas

2 Tassen geriebener Cheddar-Käse

1 Pfund Hackfleisch

1/2 Tasse gehackte Zwiebel

2 Knoblauchzehen, gehackt

1 Dose (10 Unzen) rote Enchiladasauce

Salz und Pfeffer nach Geschmack

Ofen auf 375°F vorheizen. In einer großen Pfanne das Hackfleisch bei mittlerer Hitze anbraten, bis es braun ist. Zwiebel und Knoblauch hinzufügen und ca. 5 Minuten kochen, bis die Zwiebel weich ist. Mit Salz und Pfeffer abschmecken. Vom Herd nehmen. Tortillas 30 Sekunden lang in der Mikrowelle erwärmen. Füllen Sie jede Tortilla mit einer Handvoll Käse und einem Löffel der Rindfleischmischung. Fest aufrollen und mit der Naht nach unten in eine gefettete Auflaufform legen. Gießen Sie rote Enchilada-Sauce über die Enchiladas. Mit restlichem Käse bestreuen. Mit Folie abdecken und 20 Minuten backen. Folie entfernen und weitere 10–15 Minuten backen, bis der Käse geschmolzen ist und Blasen bildet.

9. Spinat-Käse-Enchiladas

12 Mehl-Tortillas

2 Tassen geriebener Monterey-Jack-Käse

1 Packung (10 Unzen) gefrorener Spinat, aufgetaut und abgetropft

1/4 Tasse gehackte Zwiebel

2 Knoblauchzehen, gehackt

2 Esslöffel Butter

2 Esslöffel Mehl

2 Tassen Hühner- oder Gemüsebrühe

Salz und Pfeffer nach Geschmack

Ofen auf 375°F vorheizen. In einer großen Pfanne Butter bei mittlerer Hitze schmelzen. Mehl einrühren und 1 Minute kochen lassen. Nach und nach die Brühe einrühren, bis eine glatte Masse entsteht. Unter ständigem Rühren 5–7 Minuten kochen lassen, bis die Sauce eindickt. Vom Herd nehmen. Spinat, Zwiebel und Knoblauch in die Pfanne geben und verrühren. Tortillas 30 Sekunden lang in der Mikrowelle erwärmen. Füllen Sie jede Tortilla mit einer Handvoll Käse und einem Löffel der Spinatmischung. Fest aufrollen und mit der Naht nach unten in eine gefettete Auflaufform legen. Weiße Soße über die Enchiladas gießen. Mit restlichem Käse bestreuen. Mit Folie abdecken und 20 Minuten backen. Folie entfernen und weitere 10–15 Minuten backen, bis der Käse geschmolzen ist und Blasen bildet.

10. Garnelen-Käse-Enchiladas

12 Maistortillas

2 Tassen geriebener Monterey-Jack-Käse

1 Pfund mittelgroße Garnelen, geschält und entdarmt

1/4 Tasse gehackte Zwiebel

2 Knoblauchzehen, gehackt

2 Esslöffel Pflanzenöl

1 Dose (10 Unzen) grüne Enchiladasauce

Salz und Pfeffer nach Geschmack

Ofen auf 375°F vorheizen. In einer großen Pfanne Öl bei mittlerer Hitze erhitzen. Zwiebel und Knoblauch hinzufügen und ca. 5 Minuten kochen, bis die Zwiebel weich ist. Garnelen hinzufügen und ca. 3-4 Minuten kochen, bis sie rosa sind. Vom Herd nehmen. Tortillas 30 Sekunden lang in der Mikrowelle erwärmen. Füllen Sie jede Tortilla mit einer Handvoll Käse und einem Löffel der Garnelenmischung. Fest aufrollen und mit der Naht nach unten in eine gefettete Auflaufform legen. Gießen Sie grüne Enchilada-Sauce über die Enchiladas. Mit restlichem Käse bestreuen. Mit Folie abdecken und 20 Minuten backen. Folie entfernen und weitere 10–15 Minuten backen, bis der Käse geschmolzen ist und Blasen bildet.

11. Hähnchen-Käse-Enchiladas mit Verde-Sauce

12 Maistortillas

2 Tassen geriebener Monterey-Jack-Käse

2 Tassen gekochtes und zerkleinertes Hühnchen

1 Dose (10 Unzen) grüne Enchiladasauce

1/2 Tasse Sauerrahm

1/4 Tasse gehackter Koriander

Salz und Pfeffer nach Geschmack

Ofen auf 375°F vorheizen. In einer mittelgroßen Schüssel zerkleinertes Hühnchen, Koriander, Sauerrahm, Salz und Pfeffer vermischen. Tortillas 30 Sekunden lang in der Mikrowelle erwärmen. Füllen Sie jede Tortilla mit einer Handvoll Käse und einem Löffel der Hühnermischung. Fest aufrollen und mit der Naht nach unten in eine gefettete Auflaufform legen. Gießen Sie grüne Enchilada-Sauce über die Enchiladas. Mit restlichem Käse bestreuen. Mit Folie abdecken und 20 Minuten backen. Folie entfernen und weitere 10–15 Minuten backen, bis der Käse geschmolzen ist und Blasen bildet.

12. Vegetarische Enchiladas mit schwarzen Bohnen und Käse

12 Maistortillas
2 Tassen geriebener Monterey-Jack-Käse
1 Dose (15 Unzen) schwarze Bohnen, abgespült und abgetropft
1/2 Tasse gefrorener Mais, aufgetaut
1/4 Tasse gehackte Zwiebel
1 Dose (10 Unzen) rote Enchiladasauce
Salz und Pfeffer nach Geschmack

Ofen auf 375°F vorheizen. In einer mittelgroßen Schüssel schwarze Bohnen, Mais, Zwiebeln, Salz und Pfeffer vermischen. Tortillas 30 Sekunden lang in der Mikrowelle erwärmen. Füllen Sie jede Tortilla mit einer Handvoll Käse und einem Löffel der schwarzen Bohnenmischung. Fest aufrollen und mit der Naht nach unten in eine gefettete Auflaufform legen. Gießen Sie rote Enchilada-Sauce über die Enchiladas. Mit restlichem Käse bestreuen. Mit Folie abdecken und 20 Minuten backen. Folie entfernen und weitere 10–15 Minuten backen, bis der Käse geschmolzen ist und Blasen bildet.

RINDFLEISCH-ENCHILADAS

13. Einfache Rindfleisch-Enchiladas

1 Pfund Rinderhackfleisch

12 Maistortillas

1 Dose Enchiladasauce

1 gewürfelte Zwiebel

2 Knoblauchzehen

1 TL Kreuzkümmel

Salz und Pfeffer nach Geschmack

Heizen Sie den Ofen auf 375 °F vor. In einer Pfanne das Rindfleisch mit Zwiebeln, Knoblauch, Kreuzkümmel, Salz und Pfeffer anbraten, bis es braun ist. In einem Topf die Enchiladasauce bei mittlerer Hitze erhitzen. Tauchen Sie die Tortillas in die Sauce und legen Sie sie in eine 23 x 33 cm große Auflaufform. Füllen Sie jede Tortilla mit der Rindfleischmischung und rollen Sie sie auf. Die restliche Soße über die Enchiladas gießen und 25–30 Minuten backen.

14. Enchiladas mit Rindfleisch und Bohnen

1 Pfund Rinderhackfleisch
1 Dose schwarze Bohnen, abgetropft und abgespült
1 gewürfelte Zwiebel
2 Knoblauchzehen
1 Dose rote Enchiladasauce
12 Maistortillas
Salz und Pfeffer nach Geschmack

Heizen Sie den Ofen auf 375 °F vor. In einer Pfanne das Rindfleisch mit Zwiebeln, Knoblauch, Salz und Pfeffer anbraten, bis es braun ist. Die schwarzen Bohnen hinzufügen und gut vermischen. In einem Topf die Enchiladasauce bei mittlerer Hitze erhitzen. Tauchen Sie die Tortillas in die Sauce und legen Sie sie in eine 23 x 33 cm große Auflaufform. Füllen Sie jede Tortilla mit der Rindfleisch-Bohnen-Mischung und rollen Sie sie auf. Die restliche Soße über die Enchiladas gießen und 25–30 Minuten backen.

15. Würzige Rindfleisch-Enchiladas

12 Mehl-Tortillas

2 Tassen geriebener Pfeffer-Jack-Käse

1 Pfund Hackfleisch

1 Dose (10 Unzen) Enchiladasauce

1 Dose (4 Unzen) gewürfelte grüne Chilis, abgetropft

1 Esslöffel Chilipulver

1/2 Teelöffel Kreuzkümmel

Salz und Pfeffer nach Geschmack

Ofen auf 375°F vorheizen. In einer großen Pfanne das Hackfleisch bei mittlerer Hitze anbraten, bis das Rindfleisch gebräunt und durchgegart ist. Überschüssiges Fett abtropfen lassen. Nach Geschmack Chilipulver, Kreuzkümmel, Salz und Pfeffer hinzufügen. Gewürfelte grüne Chilis unterrühren. Tortillas 30 Sekunden lang in der Mikrowelle erwärmen. Füllen Sie jede Tortilla mit einer Handvoll Käse und einem Löffel der Rindfleischmischung. Fest aufrollen und mit der Naht nach unten in eine gefettete Auflaufform legen. Enchiladasauce über die Enchiladas gießen. Mit restlichem Käse bestreuen. Mit Folie abdecken und 20 Minuten backen. Folie entfernen und weitere 10–15 Minuten backen, bis der Käse geschmolzen ist und Blasen bildet.

16. Rindfleisch-Enchiladas mit hausgemachter Sauce

12 Maistortillas

2 Tassen geriebener Cheddar-Käse

1 Pfund Hackfleisch

1/2 Tasse gehackte Zwiebel

2 Knoblauchzehen, gehackt

1 Dose (14,5 Unzen) gewürfelte Tomaten

1 Esslöffel Chilipulver

1 Teelöffel Kreuzkümmel

1 Teelöffel Paprika

1/2 Teelöffel Oregano

Salz und Pfeffer nach Geschmack

Ofen auf 375°F vorheizen. In einer großen Pfanne Rinderhackfleisch und Zwiebeln bei mittlerer Hitze anbraten, bis das Rindfleisch gebräunt und durchgegart ist. Überschüssiges Fett abtropfen lassen. Knoblauch hinzufügen und 1 Minute kochen lassen. Gewürfelte Tomaten, Chilipulver, Kreuzkümmel, Paprika, Oregano, Salz und Pfeffer nach Geschmack hinzufügen. Zum Kochen bringen und 10–15 Minuten kochen lassen, dabei gelegentlich umrühren. Tortillas 30 Sekunden lang in der Mikrowelle erwärmen. Füllen Sie jede Tortilla mit einer Handvoll Käse und einem Löffel der Rindfleischmischung. Fest aufrollen und mit der Naht nach unten in eine gefettete Auflaufform legen. Gießen Sie hausgemachte Enchilada-Sauce über die Enchiladas. Mit restlichem Käse bestreuen. Mit Folie abdecken und 20 Minuten backen. Folie entfernen und weitere 10–15 Minuten backen, bis der Käse geschmolzen ist und Blasen bildet.

17. <u>Rindfleisch-Enchiladas mit grüner Soße</u>

12 Mehl-Tortillas

2 Tassen geriebener Monterey-Jack-Käse

1 Pfund Hackfleisch

1 Dose (10 Unzen) grüne Enchiladasauce

1 Dose (4 Unzen) gewürfelte grüne Chilis, abgetropft

1/2 Teelöffel Kreuzkümmel

Salz und Pfeffer nach Geschmack

Ofen auf 375°F vorheizen. In einer großen Pfanne das Hackfleisch bei mittlerer Hitze anbraten, bis das Rindfleisch gebräunt und durchgegart ist. Überschüssiges Fett abtropfen lassen. Gewürfelte grüne Chilis, Kreuzkümmel, Salz und Pfeffer nach Geschmack hinzufügen. Tortillas 30 Sekunden lang in der Mikrowelle erwärmen. Füllen Sie jede Tortilla mit einer Handvoll Käse und einem Löffel der Rindfleischmischung. Fest aufrollen und mit der Naht nach unten in eine gefettete Auflaufform legen. Gießen Sie grüne Enchilada-Sauce über die Enchiladas. Mit restlichem Käse bestreuen. Mit Folie abdecken und 20 Minuten backen. Folie entfernen und weitere 10–15 Minuten backen, bis der Käse geschmolzen ist und Blasen bildet.

18. Rinder-Enchiladas aus dem Slow Cooker

12 Mehl-Tortillas

2 Tassen geriebener Cheddar-Käse

2 Pfund Rinderhackbraten

1 Dose (10 Unzen) Enchiladasauce

1 Dose (4 Unzen) gewürfelte grüne Chilis, abgetropft

1 Esslöffel Chilipulver

1/2 Teelöffel Kreuzkümmel

Salz und Pfeffer nach Geschmack

Geben Sie den Rinderhackbraten in einen Slow Cooker. Enchiladasauce, gewürfelte grüne Chilis, Chilipulver, Kreuzkümmel, Salz und Pfeffer nach Geschmack hinzufügen. Abdecken und bei niedriger Temperatur 8–10 Stunden garen, bis das Rindfleisch zart ist und leicht auseinanderfällt. Rindfleisch mit einer Gabel zerkleinern. Ofen auf 375°F vorheizen. Tortillas 30 Sekunden lang in der Mikrowelle erwärmen. Füllen Sie jede Tortilla mit einer Handvoll Käse und einem Löffel zerkleinertem Rindfleisch. Fest aufrollen und mit der Naht nach unten in eine gefettete Auflaufform legen. Gießen Sie die restliche Soße aus dem Slow Cooker über die Enchiladas. Mit restlichem Käse bestreuen. Mit Folie abdecken und 20 Minuten backen. Folie entfernen und weitere 10–15 Minuten backen, bis der Käse geschmolzen ist und Blasen bildet.

19. Rindfleisch-Enchiladas mit cremiger Sauce

12 Mehl-Tortillas

2 Tassen geriebener Monterey-Jack-Käse

1 Pfund Hackfleisch

1 Dose (10 Unzen) rote Enchiladasauce

1 Dose (10,75 Unzen) Pilzcremesuppe

1/2 Tasse Sauerrahm

Salz und Pfeffer nach Geschmack

Ofen auf 375°F vorheizen. In einer großen Pfanne das Hackfleisch bei mittlerer Hitze anbraten, bis das Rindfleisch gebräunt und durchgegart ist. Überschüssiges Fett abtropfen lassen. Mit Salz und Pfeffer abschmecken.

In einer separaten Schüssel rote Enchiladasauce, Pilzcremesuppe und Sauerrahm vermischen, bis alles gut vermischt ist. Tortillas 30 Sekunden lang in der Mikrowelle erwärmen. Füllen Sie jede Tortilla mit einer Handvoll Käse und einem Löffel der Rindfleischmischung. Fest aufrollen und mit der Naht nach unten in eine gefettete Auflaufform legen. Sahnesauce über die Enchiladas gießen. Mit restlichem Käse bestreuen. Mit Folie abdecken und 20 Minuten backen. Folie entfernen und weitere 10–15 Minuten backen, bis der Käse geschmolzen ist und Blasen bildet.

20. Rindfleisch-Enchiladas mit Mole-Sauce

12 Mehl-Tortillas

2 Tassen geriebener Monterey-Jack-Käse

1 Pfund Hackfleisch

1 Dose (10 Unzen) rote Enchiladasauce

1/4 Tasse Mole-Sauce

Salz und Pfeffer nach Geschmack

Ofen auf 375°F vorheizen. In einer großen Pfanne das Hackfleisch bei mittlerer Hitze anbraten, bis das Rindfleisch gebräunt und durchgegart ist. Überschüssiges Fett abtropfen lassen. Mit Salz und Pfeffer abschmecken. Tortillas 30 Sekunden lang in der Mikrowelle erwärmen. Füllen Sie jede Tortilla mit einer Handvoll Käse und einem Löffel der Rindfleischmischung. Fest aufrollen und mit der Naht nach unten in eine gefettete Auflaufform legen. Mischen Sie in einer separaten Schüssel die rote Enchilada-Sauce und die Mole-Sauce, bis alles gut vermischt ist. Soße über die Enchiladas gießen. Mit restlichem Käse bestreuen. Mit Folie abdecken und 20 Minuten backen. Folie entfernen und weitere 10–15 Minuten backen, bis der Käse geschmolzen ist und Blasen bildet.

21. Rindfleisch-Enchiladas mit Chipotle-Sauce

12 Mehl-Tortillas

2 Tassen geriebener Cheddar-Käse

1 Pfund Hackfleisch

1 Dose (10 Unzen) rote Enchiladasauce

1 Dose (7 Unzen) Chipotle-Paprika in Adobo-Sauce, gehackt

Salz und Pfeffer nach Geschmack

Ofen auf 375°F vorheizen. In einer großen Pfanne das Hackfleisch bei mittlerer Hitze anbraten, bis das Rindfleisch gebräunt und durchgegart ist. Überschüssiges Fett abtropfen lassen. Mit Salz und Pfeffer abschmecken. Tortillas 30 Sekunden lang in der Mikrowelle erwärmen. Füllen Sie jede Tortilla mit einer Handvoll Käse und einem Löffel der Rindfleischmischung. Fest aufrollen und mit der Naht nach unten in eine gefettete Auflaufform legen. In einer separaten Schüssel rote Enchilada-Sauce und gehackte Chipotle-Paprikaschoten in Adobo-Sauce vermischen, bis alles gut vermischt ist. Soße über die Enchiladas gießen. Mit restlichem Käse bestreuen. Mit Folie abdecken und 20 Minuten backen. Folie entfernen und weitere 10–15 Minuten backen, bis der Käse geschmolzen ist und Blasen bildet.

22. Rindfleisch-Enchiladas mit Tomatillo-Sauce

12 Mehl-Tortillas

2 Tassen geriebener Monterey-Jack-Käse

1 Pfund Hackfleisch

1 Dose (10 Unzen) rote Enchiladasauce

1 Dose (11 Unzen) Tomatillos, abgetropft und gehackt

1/4 Tasse gehackter Koriander

Salz und Pfeffer nach Geschmack

Ofen auf 375°F vorheizen. In einer großen Pfanne das Hackfleisch bei mittlerer Hitze anbraten, bis das Rindfleisch gebräunt und durchgegart ist. Überschüssiges Fett abtropfen lassen. Gehackte Tomaten, Koriander, Salz und Pfeffer nach Geschmack hinzufügen. Tortillas 30 Sekunden lang in der Mikrowelle erwärmen. Füllen Sie jede Tortilla mit einer Handvoll Käse und einem Löffel der Rindfleischmischung. Fest aufrollen und mit der Naht nach unten in eine gefettete Auflaufform legen. In einer separaten Schüssel rote Enchiladasauce und gehackte Tomatillos vermischen, bis alles gut vermischt ist. Soße über die Enchiladas gießen. Mit restlichem Käse bestreuen. Mit Folie abdecken und 20 Minuten backen. Folie entfernen und weitere 10–15 Minuten backen, bis der Käse geschmolzen ist und Blasen bildet.

23. Rindfleisch-Enchiladas mit Ranchero-Sauce

12 Mehl-Tortillas

2 Tassen geriebener Cheddar-Käse

1 Pfund Hackfleisch

1 Dose (10 Unzen) rote Enchiladasauce

1 Dose (14,5 Unzen) gewürfelte Tomaten, abgetropft

1/4 Tasse gehackte Zwiebel

1 Esslöffel gehackter Knoblauch

Salz und Pfeffer nach Geschmack

Ofen auf 375°F vorheizen. In einer großen Pfanne das Hackfleisch bei mittlerer Hitze anbraten, bis das Rindfleisch gebräunt und durchgegart ist. Überschüssiges Fett abtropfen lassen. Gewürfelte Tomaten, gehackte Zwiebeln, gehackten Knoblauch, Salz und Pfeffer nach Geschmack hinzufügen. Tortillas 30 Sekunden lang in der Mikrowelle erwärmen. Füllen Sie jede Tortilla mit einer Handvoll Käse und einem Löffel der Rindfleischmischung. Fest aufrollen und mit der Naht nach unten in eine gefettete Auflaufform legen. In einer separaten Schüssel rote Enchiladasauce und gewürfelte Tomaten vermischen, bis alles gut vermischt ist. Soße über die Enchiladas gießen. Mit restlichem Käse bestreuen. Mit Folie abdecken und 20 Minuten backen. Folie entfernen und weitere 10–15 Minuten backen, bis der Käse geschmolzen ist und Blasen bildet.

24. Rindfleisch-Enchiladas mit grüner Chilesauce

12 Mehl-Tortillas
2 Tassen geriebener Monterey-Jack-Käse
1 Pfund Hackfleisch
1 Dose (10 Unzen) rote Enchiladasauce
1 Dose (4 Unzen) gehackte grüne Chilis
Salz und Pfeffer nach Geschmack
Ofen auf 375°F vorheizen. In einer großen Pfanne das Hackfleisch bei mittlerer Hitze anbraten, bis das Rindfleisch gebräunt und durchgegart ist. Überschüssiges Fett abtropfen lassen. Gehackte grüne Chilis, Salz und Pfeffer nach Geschmack hinzufügen. Tortillas 30 Sekunden lang in der Mikrowelle erwärmen. Füllen Sie jede Tortilla mit einer Handvoll Käse und einem Löffel der Rindfleischmischung. Fest aufrollen und mit der Naht nach unten in eine gefettete Auflaufform legen. Mischen Sie in einer separaten Schüssel die rote Enchiladasauce und die gehackten grünen Chilis, bis alles gut vermischt ist. Soße über die Enchiladas gießen. Mit restlichem Käse bestreuen. Mit Folie abdecken und 20 Minuten backen. Folie entfernen und weitere 10–15 Minuten backen, bis der Käse geschmolzen ist und Blasen bildet

.

25. Rindfleisch-Enchiladas mit Salsa Verde

12 Mehl-Tortillas
2 Tassen geriebener Cheddar-Käse
1 Pfund Hackfleisch
1 Glas (16 Unzen) Salsa Verde
Salz und Pfeffer nach Geschmack
Ofen auf 375°F vorheizen. In einer großen Pfanne das Hackfleisch bei mittlerer Hitze anbraten, bis das Rindfleisch gebräunt und durchgegart ist. Überschüssiges Fett abtropfen lassen. Mit Salz und Pfeffer abschmecken. Tortillas 30 Sekunden lang in der Mikrowelle erwärmen. Füllen Sie jede Tortilla mit einer Handvoll Käse und einem Löffel der Rindfleischmischung. Fest aufrollen und mit der Naht nach unten in eine gefettete Auflaufform legen. Salsa Verde über die Enchiladas gießen. Mit restlichem Käse bestreuen. Mit Folie abdecken und 20 Minuten backen. Folie entfernen und weitere 10–15 Minuten backen, bis der Käse geschmolzen ist und Blasen bildet.

26. Rindfleisch-Enchiladas mit Pico de Gallo

12 Mehl-Tortillas

2 Tassen

geriebener Monterey-Jack-Käse

1 Pfund Hackfleisch

1 Dose (10 Unzen) rote Enchiladasauce

1 Tasse hausgemachter oder im Laden gekaufter Pico de Gallo

Ofen auf 375°F vorheizen. In einer großen Pfanne das Hackfleisch bei mittlerer Hitze anbraten, bis das Rindfleisch gebräunt und durchgegart ist. Überschüssiges Fett abtropfen lassen. Tortillas 30 Sekunden lang in der Mikrowelle erwärmen. Füllen Sie jede Tortilla mit einer Handvoll Käse und einem Löffel der Rindfleischmischung. Fest aufrollen und mit der Naht nach unten in eine gefettete Auflaufform legen. Enchiladasauce über die Enchiladas gießen. Pico de Gallo auf die Enchiladasauce geben. Mit restlichem Käse bestreuen. Mit Folie abdecken und 20 Minuten backen. Folie entfernen und weitere 10–15 Minuten backen, bis der Käse geschmolzen ist und Blasen bildet.

27. Rindfleisch-Enchiladas mit Mole-Sauce

12 Mehl-Tortillas

2 Tassen geriebener Cheddar-Käse

1 Pfund Hackfleisch

1 Dose (10 Unzen) rote Enchiladasauce

1/2 Tasse hausgemachte oder im Laden gekaufte Mole-Sauce

Ofen auf 375°F vorheizen. In einer großen Pfanne das Hackfleisch bei mittlerer Hitze anbraten, bis das Rindfleisch gebräunt und durchgegart ist. Überschüssiges Fett abtropfen lassen. Tortillas 30 Sekunden lang in der Mikrowelle erwärmen. Füllen Sie jede Tortilla mit einer Handvoll Käse und einem Löffel der Rindfleischmischung. Fest aufrollen und mit der Naht nach unten in eine gefettete Auflaufform legen. Enchiladasauce über die Enchiladas gießen. Mole-Sauce auf die Enchilada-Sauce geben. Mit restlichem Käse bestreuen. Mit Folie abdecken und 20 Minuten backen. Folie entfernen und weitere 10–15 Minuten backen, bis der Käse geschmolzen ist und Blasen bildet.

28. Rindfleisch-Enchiladas mit Chipotle-Sauce

12 Mehl-Tortillas

2 Tassen geriebener Monterey-Jack-Käse

1 Pfund Hackfleisch

1 Dose (10 Unzen) rote Enchiladasauce

2 Esslöffel Chipotle-Paprika in Adobo-Sauce, gehackt

Ofen auf 375°F vorheizen. In einer großen Pfanne das Hackfleisch bei mittlerer Hitze anbraten, bis das Rindfleisch gebräunt und durchgegart ist. Überschüssiges Fett abtropfen lassen. Tortillas 30 Sekunden lang in der Mikrowelle erwärmen. Füllen Sie jede Tortilla mit einer Handvoll Käse und einem Löffel der Rindfleischmischung. Fest aufrollen und mit der Naht nach unten in eine gefettete Auflaufform legen. In einer separaten Schüssel rote Enchiladasauce und gehackte Chipotle-Paprikaschoten vermischen, bis alles gut vermischt ist. Soße über die Enchiladas gießen. Mit restlichem Käse bestreuen. Mit Folie abdecken und 20 Minuten backen. Folie entfernen und weitere 10–15 Minuten backen, bis der Käse geschmolzen ist und Blasen bildet.

HÜHNER-ENCHILADAS

29. Einfache Hühnchen-Enchiladas

1 Pfund gekochtes und zerkleinertes Hühnchen

12 Maistortillas

1 Dose grüne Enchiladasauce

1 gewürfelte Zwiebel

2 Knoblauchzehen

1 TL Kreuzkümmel

Salz und Pfeffer nach Geschmack

Heizen Sie den Ofen auf 375 °F vor. In einem Topf Enchiladasauce, Zwiebel, Knoblauch, Kreuzkümmel, Salz und Pfeffer bei mittlerer Hitze erhitzen. Tauchen Sie die Tortillas in die Sauce und legen Sie sie in eine 23 x 33 cm große Auflaufform. Füllen Sie jede Tortilla mit dem Hähnchen und rollen Sie sie auf. Die restliche Soße über die Enchiladas gießen und 25–30 Minuten backen.

30. Enchiladas mit Hühnchen und Spinat

1 Pfund gekochtes und zerkleinertes Hühnchen
2 Tassen frischer Spinat, gehackt
1 gewürfelte Zwiebel
2 Knoblauchzehen
1 Dose grüne Enchiladasauce
12 Maistortillas
Salz und Pfeffer nach Geschmack

Heizen Sie den Ofen auf 375 °F vor. In einer Pfanne die Zwiebel und den Knoblauch anbraten, bis sie weich sind. Den Spinat dazugeben und kochen, bis er zusammengefallen ist. Das zerkleinerte Hähnchen dazugeben und mit Salz und Pfeffer würzen. In einem Topf die Enchiladasauce bei mittlerer Hitze erhitzen. Tauchen Sie die Tortillas in die Sauce und legen Sie sie in eine 23 x 33 cm große Auflaufform. Füllen Sie jede Tortilla mit der Hähnchen-Spinat-Mischung und rollen Sie sie auf. Die restliche Soße über die Enchiladas gießen und 25–30 Minuten backen.

31. <u>Grüne Chile-Hühnchen-Enchiladas</u>

Zutaten:

2 lbs. Hähnchenbrust ohne Knochen und ohne Haut
1 Dose (14 oz.) grüne Enchiladasauce
1 Dose (4 oz.) gewürfelte grüne Chilis
2 Tassen geriebener Monterey-Jack-Käse
10-12 Maistortillas
Salz und Pfeffer nach Geschmack
Anweisungen:

Heizen Sie den Ofen auf 375 °F vor.
Hähnchen mit Salz und Pfeffer würzen und dann in einer großen Pfanne bei mittlerer bis hoher Hitze braten, bis es braun und durchgegart ist.
Das Hähnchen zerkleinern und beiseite stellen.
In einer großen Schüssel die grüne Enchiladasauce und die gewürfelten grünen Chilis vermischen.
In einer separaten Schüssel das zerkleinerte Hähnchen und 1 Tasse geriebenen Käse vermischen.
Erwärmen Sie die Tortillas in der Mikrowelle oder auf einer Grillplatte, bis sie weich und geschmeidig sind.
Geben Sie einen großzügigen Löffel der Hühnermischung auf jede Tortilla und rollen Sie sie fest auf.
Legen Sie die aufgerollten Tortillas mit der Naht nach unten in eine 23 x 33 cm große Auflaufform.
Gießen Sie die grüne Soßenmischung über die Enchiladas und bestreuen Sie sie mit dem restlichen geriebenen Käse.
Im vorgeheizten Ofen 20–25 Minuten backen oder bis der Käse geschmolzen ist und Blasen bildet.

32. Cremige Hähnchen Enchiladas

Zutaten:

2 lbs. Hähnchenbrust ohne Knochen und ohne Haut
1 Dose (10 Unzen) Hühnercremesuppe
1 Dose (4 oz.) gewürfelte grüne Chilis
1/2 Tasse Sauerrahm
2 Tassen geriebener Monterey-Jack-Käse
10-12 Mehl-Tortillas
Salz und Pfeffer nach Geschmack
Anweisungen:

Heizen Sie den Ofen auf 375 °F vor.
Hähnchen mit Salz und Pfeffer würzen und dann in einer großen Pfanne bei mittlerer bis hoher Hitze braten, bis es braun und durchgegart ist.
Das Hähnchen zerkleinern und beiseite stellen.
In einer großen Schüssel die Hühnercremesuppe, die gewürfelten grünen Chilischoten und die saure Sahne vermischen.
In einer separaten Schüssel das zerkleinerte Hähnchen und 1 Tasse geriebenen Käse vermischen.
6. Erwärmen Sie die Tortillas in der Mikrowelle oder auf einer Grillplatte, bis sie weich und geschmeidig sind.

Geben Sie einen großzügigen Löffel der Hühnermischung auf jede Tortilla und rollen Sie sie fest auf.
Legen Sie die aufgerollten Tortillas mit der Naht nach unten in eine 23 x 33 cm große Auflaufform.
Gießen Sie die cremige Saucenmischung über die Enchiladas und bestreuen Sie sie mit dem restlichen geriebenen Käse.
Im vorgeheizten Ofen 20–25 Minuten backen oder bis der Käse geschmolzen ist und Blasen bildet.

33. Rote Chile-Hühnchen-Enchiladas

Zutaten:

2 lbs. Hähnchenbrust ohne Knochen und ohne Haut
2 Tassen rote Enchiladasauce
1 Dose (4 oz.) gewürfelte grüne Chilis
2 Tassen geriebener Cheddar-Käse
10-12 Maistortillas
Salz und Pfeffer nach Geschmack
Anweisungen:

Heizen Sie den Ofen auf 375 °F vor.
Hähnchen mit Salz und Pfeffer würzen und dann in einer großen Pfanne bei mittlerer bis hoher Hitze braten, bis es braun und durchgegart ist.
Das Hähnchen zerkleinern und beiseite stellen.
In einer großen Schüssel die rote Enchiladasauce und die gewürfelten grünen Chilis vermischen.
In einer separaten Schüssel das zerkleinerte Hähnchen und 1 Tasse geriebenen Käse vermischen.
Erwärmen Sie die Tortillas in der Mikrowelle oder auf einer Grillplatte, bis sie weich und geschmeidig sind.
Geben Sie einen großzügigen Löffel der Hühnermischung auf jede Tortilla und rollen Sie sie fest auf.
Legen Sie die aufgerollten Tortillas mit der Naht nach unten in eine 23 x 33 cm große Auflaufform.
Gießen Sie die Mischung aus roter Soße über die Enchiladas und bestreuen Sie sie mit dem restlichen geriebenen Käse.
Im vorgeheizten Ofen 20–25 Minuten backen oder bis der Käse geschmolzen ist und Blasen bildet.

34. Würzige Hühnchen-Enchiladas

Zutaten:

2 lbs. Hähnchenbrust ohne Knochen und ohne Haut
1 Dose (10 oz.) gewürfelte Tomaten und grüne Chilis
1 Dose (4 oz.) gewürfelte Jalapeños
2 Tassen geriebener Pfeffer-Jack-Käse
10-12 Maistortillas
Salz und Pfeffer nach Geschmack
Anweisungen:

Heizen Sie den Ofen auf 375 °F vor.
Hähnchen mit Salz und Pfeffer würzen und dann in einer großen Pfanne bei mittlerer bis hoher Hitze braten, bis es braun und durchgegart ist.
Das Hähnchen zerkleinern und beiseite stellen.
In einer großen Schüssel die gewürfelten Tomaten und grünen Chilis sowie die gewürfelten Jalapeños vermischen.
In einer separaten Schüssel das zerkleinerte Hähnchen und 1 Tasse geriebenen Käse vermischen.
Erwärmen Sie die Tortillas in der Mikrowelle oder auf einer Grillplatte, bis sie weich und geschmeidig sind.
Geben Sie einen großzügigen Löffel der Hühnermischung auf jede Tortilla und rollen Sie sie fest auf.
Legen Sie die aufgerollten Tortillas mit der Naht nach unten in eine 23 x 33 cm große Auflaufform.
Die Tomaten-Jalapeño-Mischung über die Enchiladas gießen und mit dem restlichen geriebenen Käse bestreuen.
Im vorgeheizten Ofen 20–25 Minuten backen oder bis der Käse geschmolzen ist und Blasen bildet.

35. Käse-Hühnchen-Enchiladas

Zutaten:

2 lbs. Hähnchenbrust ohne Knochen und ohne Haut
2 Tassen geriebener Cheddar-Käse
1 Dose (4 oz.) gewürfelte grüne Chilis
1/2 Tasse Salsa
10-12 Mehl-Tortillas
Salz und Pfeffer nach Geschmack

Anweisungen:

Heizen Sie den Ofen auf 375 °F vor.
Hähnchen mit Salz und Pfeffer würzen und dann in einer großen Pfanne bei mittlerer bis hoher Hitze braten, bis es braun und durchgegart ist.
Das Hähnchen zerkleinern und beiseite stellen.
In einer großen Schüssel den geriebenen Käse, die gewürfelten grünen Chilis und die Salsa vermischen.
In einer separaten Schüssel das zerkleinerte Hähnchen vermischen.
Erwärmen Sie die Tortillas in der Mikrowelle oder auf einer Grillplatte, bis sie weich und geschmeidig sind.
Geben Sie einen großzügigen Löffel der Hühnermischung auf jede Tortilla und rollen Sie sie fest auf.
Legen Sie die aufgerollten Tortillas mit der Naht nach unten in eine 23 x 33 cm große Auflaufform.
Gießen Sie die Käsemischung über die Enchiladas.
Im vorgeheizten Ofen 20–25 Minuten backen oder bis der Käse geschmolzen ist und Blasen bildet.

36. Cremige Hühnchen-Enchiladas mit Poblano-Sauce

Zutaten:

2 lbs. Hähnchenbrust ohne Knochen und ohne Haut
1/2 Tasse Sahne
1/4 Tasse Sauerrahm
1 Dose (4 oz.) gewürfelte grüne Chilis
2 Tassen geriebener Monterey-Jack-Käse
10-12 Maistortillas
Salz und Pfeffer nach Geschmack
Poblano-Sauce:

2 große Poblano-Paprikaschoten
1/2 Zwiebel, gehackt
2 Knoblauchzehen, gehackt
1/2 Tasse Hühnerbrühe
1/2 Tasse Sahne
Salz und Pfeffer nach Geschmack
Anweisungen:

Heizen Sie den Ofen auf 375 °F vor.
Hähnchen mit Salz und Pfeffer würzen und dann in einer großen
Pfanne bei mittlerer bis hoher Hitze braten, bis es braun und
durchgegart ist.
Das Hähnchen zerkleinern und beiseite stellen.
In einer großen Schüssel Sahne, Sauerrahm, gewürfelte grüne
Chilis und 1 Tasse geriebenen Monterey-Jack-Käse vermischen.
In einer separaten Schüssel das zerkleinerte Hähnchen
vermischen.
Erwärmen Sie die Tortillas in der Mikrowelle oder auf einer
Grillplatte, bis sie weich und geschmeidig sind.
Geben Sie einen großzügigen Löffel der Hühnermischung auf
jede Tortilla und rollen Sie sie fest auf.
Legen Sie die aufgerollten Tortillas mit der Naht nach unten in
eine 23 x 33 cm große Auflaufform.
Gießen Sie die cremige Saucenmischung über die Enchiladas und
bestreuen Sie sie mit dem restlichen geriebenen Käse.

Im vorgeheizten Ofen 20–25 Minuten backen oder bis der Käse geschmolzen ist und Blasen bildet.

Für die Poblano-Sauce:

Die Poblano-Paprikaschoten über offener Flamme oder unter dem Grill rösten, bis die Schale verkohlt ist und Blasen wirft.

Vom Herd nehmen und zum Dämpfen 10–15 Minuten in eine Plastiktüte legen.

Von den Paprikaschoten Schale, Stiel und Kerne entfernen und das Fruchtfleisch hacken.

In einem großen Topf die Zwiebel und den Knoblauch anbraten, bis sie weich sind.

Die gehackten Poblanos, Hühnerbrühe und Sahne in den Topf geben und 10–15 Minuten köcheln lassen.

Mit Salz und Pfeffer abschmecken.

Vor dem Servieren die Soße über die Enchiladas gießen.

37. Hühnchen-Enchiladas mit Verde-Sauce

Zutaten:

2 lbs. Hähnchenbrust ohne Knochen und ohne Haut
2 Tassen geriebener Monterey-Jack-Käse
1 Dose (4 oz.) gewürfelte grüne Chilis
1 Glas (16 oz.) Salsa Verde
10-12 Maistortillas
Salz und Pfeffer nach Geschmack
Anweisungen:

Heizen Sie den Ofen auf 375 °F vor.
2. Hähnchen mit Salz und Pfeffer würzen und dann in einer großen Pfanne bei mittlerer bis hoher Hitze braten, bis es braun und durchgegart ist.

Das Hähnchen zerkleinern und beiseite stellen.
In einer großen Schüssel den geriebenen Käse, die gewürfelten grünen Chilis und eine halbe Tasse Salsa Verde vermischen.
In einer separaten Schüssel das zerkleinerte Hähnchen vermischen.
Erwärmen Sie die Tortillas in der Mikrowelle oder auf einer Grillplatte, bis sie weich und geschmeidig sind.
Geben Sie einen großzügigen Löffel der Hühnermischung auf jede Tortilla und rollen Sie sie fest auf.
Legen Sie die aufgerollten Tortillas mit der Naht nach unten in eine 23 x 33 cm große Auflaufform.
Die restliche Salsa Verde über die Enchiladas gießen.
Im vorgeheizten Ofen 20–25 Minuten backen oder bis der Käse geschmolzen ist und Blasen bildet.

38. Cremige Hähnchen-Enchiladas mit Tomatillo-Sauce

Zutaten:

2 lbs. Hähnchenbrust ohne Knochen und ohne Haut
1/2 Tasse Sahne
1/4 Tasse Sauerrahm
1 Dose (4 oz.) gewürfelte grüne Chilis
2 Tassen geriebener Monterey-Jack-Käse
10-12 Maistortillas
Salz und Pfeffer nach Geschmack
Tomatillo-Sauce:

8 Tomaten, geschält und abgespült
1/2 Zwiebel, gehackt
2 Knoblauchzehen, gehackt
1/2 Tasse Hühnerbrühe
1/2 Tasse Sahne
Salz und Pfeffer nach Geschmack
Anweisungen:

Heizen Sie den Ofen auf 375 °F vor.
Hähnchen mit Salz und Pfeffer würzen und dann in einer großen Pfanne bei mittlerer bis hoher Hitze braten, bis es braun und durchgegart ist.
Das Hähnchen zerkleinern und beiseite stellen.
In einer großen Schüssel Sahne, Sauerrahm, gewürfelte grüne Chilis und 1 Tasse geriebenen Monterey-Jack-Käse vermischen.
In einer separaten Schüssel das zerkleinerte Hähnchen vermischen.
Erwärmen Sie die Tortillas in der Mikrowelle oder auf einer Grillplatte, bis sie weich und geschmeidig sind.
Geben Sie einen großzügigen Löffel der Hühnermischung auf jede Tortilla und rollen Sie sie fest auf.
Legen Sie die aufgerollten Tortillas mit der Naht nach unten in eine 23 x 33 cm große Auflaufform.
Gießen Sie die cremige Saucenmischung über die Enchiladas und bestreuen Sie sie mit dem restlichen geriebenen Käse.

Im vorgeheizten Ofen 20–25 Minuten backen oder bis der Käse geschmolzen ist und Blasen bildet.
Für die Tomatillosauce:

Heizen Sie den Grill vor.
Legen Sie die Tomatillos auf ein Backblech und braten Sie sie 5–7 Minuten lang oder bis die Haut verkohlt ist und Blasen wirft.
Vom Herd nehmen und abkühlen lassen.
In einem Mixer oder einer Küchenmaschine Tomaten, Zwiebeln, Knoblauch, Hühnerbrühe und Sahne pürieren, bis eine glatte Masse entsteht.
Mit Salz und Pfeffer abschmecken.
Vor dem Servieren die Soße über die Enchiladas gießen.

FISCH UND MEERESFRÜCHTE

39. Shrimp Enchiladas

1 Pfund gekochte und gehackte Garnelen
12 Maistortillas
1 Dose rote Enchiladasauce
1 gewürfelte Zwiebel
2 Knoblauchzehen
1 TL Kreuzkümmel
Salz und Pfeffer nach Geschmack
Heizen Sie den Ofen auf 375 °F vor. In einem Topf Enchiladasauce, Zwiebel, Knoblauch, Kreuzkümmel, Salz und Pfeffer bei mittlerer Hitze erhitzen. Tauchen Sie die Tortillas in die Sauce und legen Sie sie in eine 23 x 33 cm große Auflaufform. Füllen Sie jede Tortilla mit Garnelen und rollen Sie sie auf. Die restliche Soße über die Enchiladas gießen und 25–30 Minuten backen.

40. Krabben-Enchiladas

Zutaten:

1 Pfund Krabbenfleisch, gepflückt für die Muscheln
2 Tassen geriebener Monterey-Jack-Käse
1 Dose (4 oz.) gewürfelte grüne Chilis
1 Glas (16 oz.) Salsa
10-12 Maistortillas
Salz und Pfeffer nach Geschmack
Anweisungen:

Heizen Sie den Ofen auf 375 °F vor.
In einer großen Schüssel das Krabbenfleisch, den geriebenen Käse, die gewürfelten grünen Chilis und eine halbe Tasse Salsa vermischen.
Erwärmen Sie die Tortillas in der Mikrowelle oder auf einer Grillplatte, bis sie weich und geschmeidig sind.
Geben Sie einen großzügigen Löffel der Krabbenfleischmischung auf jede Tortilla und rollen Sie sie fest auf.
Legen Sie die aufgerollten Tortillas mit der Naht nach unten in eine 23 x 33 cm große Auflaufform.
Die restliche Salsa über die Enchiladas gießen.
Im vorgeheizten Ofen 20–25 Minuten backen oder bis der Käse geschmolzen ist und Blasen bildet.

41. Meeresfrüchte-Enchiladas

Zutaten:

1 Pfund gekochte Garnelen, geschält und entdarmt

1 Pfund gekochtes Krabbenfleisch, zerkleinert

1 Dose (4 oz.) gewürfelte grüne Chilis

1/2 Tasse gehackte Zwiebel

2 Knoblauchzehen, gehackt

1 Teelöffel. gemahlener Kreuzkümmel

1 Teelöffel. Chilipulver

1 Teelöffel. getrockneter Oregano

1 Dose (10 oz.) Enchiladasauce

10-12 Maistortillas

1 Tasse geriebener Monterey-Jack-Käse

1/4 Tasse gehackter frischer Koriander

Salz und Pfeffer nach Geschmack

Optionale Beläge: gewürfelte Avocado, geschnittene Jalapenos, saure Sahne, Limettenspalten

Anweisungen:

Heizen Sie den Ofen auf 375 °F vor.

In einer großen Schüssel die gekochten Garnelen, das gekochte Krabbenfleisch, die gewürfelten grünen Chilis, die gehackten Zwiebeln, den gehackten Knoblauch, den Kreuzkümmel, das Chilipulver und den Oregano vermischen. Mit Salz und Pfeffer abschmecken.

Erwärmen Sie die Tortillas in der Mikrowelle oder auf einer Grillplatte, bis sie weich und geschmeidig sind.

Verteilen Sie eine kleine Menge Enchiladasauce auf dem Boden einer 23 x 33 cm großen Auflaufform.

Geben Sie einen großzügigen Löffel der Meeresfrüchtemischung auf jede Tortilla und rollen Sie sie fest auf.

Legen Sie die aufgerollten Tortillas mit der Naht nach unten in die Auflaufform.

Gießen Sie die restliche Enchilada-Sauce über die Enchiladas.

Streuen Sie den geriebenen Käse über die Enchiladas.

Im vorgeheizten Ofen 20–25 Minuten backen oder bis der Käse geschmolzen ist und Blasen bildet.

Den gehackten Koriander über die Enchiladas streuen.

Heiß servieren, optional mit Toppings, falls gewünscht.

42. Lachs-Enchiladas

Zutaten:

1 Pfund gekochter Lachs, in Flocken
1 Dose (4 oz.) gewürfelte grüne Chilis
1/2 Tasse gehackte rote Zwiebel
2 Knoblauchzehen, gehackt
1 Teelöffel. gemahlener Kreuzkümmel
1 Teelöffel. Chilipulver
Salz und Pfeffer nach Geschmack
10-12 Maistortillas
1 Dose (10 oz.) Enchiladasauce
1 Tasse geriebener Monterey-Jack-Käse
Frischer Koriander, gehackt
Anweisungen:
Heizen Sie den Ofen auf 375 °F vor.
In einer großen Schüssel Lachsflocken, gewürfelte grüne Chilis, gehackte rote Zwiebeln, gehackten Knoblauch, Kreuzkümmel, Chilipulver sowie Salz und Pfeffer nach Geschmack vermischen.
Erwärmen Sie die Tortillas in der Mikrowelle oder auf einer Grillplatte, bis sie weich und geschmeidig sind.
Verteilen Sie eine kleine Menge Enchiladasauce auf dem Boden einer 23 x 33 cm großen Auflaufform.
Geben Sie einen großzügigen Löffel der Lachsmischung auf jede Tortilla und rollen Sie sie fest auf.
Legen Sie die aufgerollten Tortillas mit der Naht nach unten in die Auflaufform.
Gießen Sie die restliche Enchilada-Sauce über die Enchiladas.
Streuen Sie den geriebenen Käse über die Enchiladas.
Im vorgeheizten Ofen 20–25 Minuten backen oder bis der Käse geschmolzen ist und Blasen bildet.
Mit frischem Koriander garnieren und heiß servieren.

43. Gegrillte Fisch-Enchiladas

Zutaten:

1 Pfund weiße Fischfilets wie Tilapia oder Kabeljau

1 rote Zwiebel, in Scheiben geschnitten

1 rote Paprika, in Scheiben geschnitten

1 gelbe Paprika, in Scheiben geschnitten

1 Teelöffel. Chilipulver

1 Teelöffel. gemahlener Kreuzkümmel

Salz und Pfeffer nach Geschmack

10-12 Maistortillas

1 Dose (10 oz.) Enchiladasauce

1 Tasse geriebener Monterey-Jack-Käse

Frischer Koriander, gehackt

Anweisungen:

Einen Grill oder eine Grillpfanne auf mittlere bis hohe Hitze vorheizen.

Die Fischfilets mit Chilipulver, Kreuzkümmel, Salz und Pfeffer würzen.

Grillen Sie den Fisch 5–6 Minuten pro Seite oder bis er gar ist.

Den Fisch vom Grill nehmen und etwas abkühlen lassen. Den Fisch in kleine Stücke schneiden.

In einer großen Schüssel die Fischflocken, die geschnittenen roten Zwiebeln, die geschnittenen roten Paprikaschoten und die geschnittenen gelben Paprikaschoten vermischen.

Erwärmen Sie die Tortillas in der Mikrowelle oder auf einer Grillplatte, bis sie weich und geschmeidig sind.

Verteilen Sie eine kleine Menge Enchiladasauce auf dem Boden einer 23 x 33 cm großen Auflaufform.

Geben Sie einen großzügigen Löffel der Fischmischung auf jede Tortilla und rollen Sie sie fest auf.

Legen Sie die aufgerollten Tortillas mit der Naht nach unten in die Auflaufform.

Gießen Sie die restliche Enchilada-Sauce über die Enchiladas.

Streuen Sie den geriebenen Käse über die Enchiladas.

Im vorgeheizten Ofen bei 375 °F 20–25 Minuten backen, oder bis der Käse geschmolzen ist und Blasen bildet.

Mit frischem Koriander garnieren und heiß servieren.

44. Thunfisch-Enchiladas

Zutaten:

2 Dosen (je 5 Unzen) Thunfischkonserven, abgetropft
1 Dose (4 oz.) gewürfelte grüne Chilis
1/2 Tasse gehackte rote Zwiebel
2 weiter
Knoblauchzehen, gehackt
1 Teelöffel. gemahlener Kreuzkümmel
1 Teelöffel. Chilipulver
Salz und Pfeffer nach Geschmack
10-12 Maistortillas
1 Dose (10 oz.) Enchiladasauce
1 Tasse geriebener Cheddar-Käse
Frischer Koriander, gehackt
Anweisungen:
Heizen Sie den Ofen auf 375 °F vor.
In einer großen Schüssel den Thunfisch aus der Dose, gewürfelte grüne Chilis, gehackte rote Zwiebeln, gehackten Knoblauch, Kreuzkümmel, Chilipulver sowie Salz und Pfeffer nach Geschmack vermischen.
Erwärmen Sie die Tortillas in der Mikrowelle oder auf einer Grillplatte, bis sie weich und geschmeidig sind.
Verteilen Sie eine kleine Menge Enchiladasauce auf dem Boden einer 23 x 33 cm großen Auflaufform.
Geben Sie einen großzügigen Löffel der Thunfischmischung auf jede Tortilla und rollen Sie sie fest auf.
Legen Sie die aufgerollten Tortillas mit der Naht nach unten in die Auflaufform.
Gießen Sie die restliche Enchilada-Sauce über die Enchiladas.
Streuen Sie den geriebenen Käse über die Enchiladas.
Im vorgeheizten Ofen 20–25 Minuten backen oder bis der Käse geschmolzen ist und Blasen bildet.
Mit frischem Koriander garnieren und heiß servieren.

45. Mahi-Mahi-Enchiladas

Zutaten:

1 Pfund Mahi-Mahi-Filets, ohne Haut
1 rote Zwiebel, gewürfelt
1 rote Paprika, gewürfelt
1 grüne Paprika, gewürfelt
2 Knoblauchzehen, gehackt
1 Teelöffel. gemahlener Kreuzkümmel
1 Teelöffel. Chilipulver
Salz und Pfeffer nach Geschmack
10-12 Maistortillas
1 Dose (10 oz.) rote Enchiladasauce
1 Tasse geriebener Cheddar-Käse
Frischer Koriander, gehackt

Anweisungen:
1. Heizen Sie den Ofen auf 375 °F vor.
2. Die Mahi-Mahi-Filets mit Kreuzkümmel, Chilipulver, Salz und Pfeffer würzen.

Erhitzen Sie eine große Pfanne bei mittlerer bis hoher Hitze und braten Sie die Mahi-Mahi-Filets 3–4 Minuten pro Seite oder bis sie gar sind.
Den Mahi-Mahi aus der Pfanne nehmen und zum Abkühlen beiseite stellen.
In derselben Pfanne die gewürfelten roten Zwiebeln, die rote Paprika, die grüne Paprika und den gehackten Knoblauch 3-4 Minuten lang oder bis sie weich sind anbraten.
Das gekochte Mahi-Mahi in kleine Stücke schneiden und zusammen mit dem Gemüse in die Pfanne geben.
Erwärmen Sie die Tortillas in der Mikrowelle oder auf einer Grillplatte, bis sie weich und geschmeidig sind.
Verteilen Sie eine kleine Menge roter Enchilada-Sauce auf dem Boden einer 23 x 33 cm großen Auflaufform.
Geben Sie einen großzügigen Löffel der Mahi-Mahi-Gemüse-Mischung auf jede Tortilla und rollen Sie sie fest auf.

Legen Sie die aufgerollten Tortillas mit der Naht nach unten in die Auflaufform.

Gießen Sie die restliche rote Enchilada-Sauce über die Enchiladas.

Streuen Sie den geriebenen Käse über die Enchiladas.

Im vorgeheizten Ofen 20–25 Minuten backen oder bis der Käse geschmolzen ist und Blasen bildet.

Mit frischem Koriander garnieren und heiß servieren.

GEMÜSE-ENCHILADAS

46. Vegetarische Enchiladas

1 Dose schwarze Bohnen, abgetropft und abgespült

1 Dose Mais, abgetropft

1 gewürfelte Zwiebel

2 Knoblauchzehen

1 Dose grüne Enchiladasauce

12 Maistortillas

Salz und Pfeffer nach Geschmack

Heizen Sie den Ofen auf 375 °F vor. In einer Pfanne die Zwiebel und den Knoblauch anbraten, bis sie weich sind. Schwarze Bohnen und Mais dazugeben und mit Salz und Pfeffer würzen. In einem Topf die Enchiladasauce bei mittlerer Hitze erhitzen. Tauchen Sie die Tortillas in die Sauce und legen Sie sie in eine 23 x 33 cm große Auflaufform. Füllen Sie jede Tortilla mit der Bohnen-Mais-Mischung und rollen Sie sie auf. Die restliche Soße über die Enchiladas gießen und 25–30 Minuten backen.

47. Spinat-Pilz-Enchiladas

2 Tassen frischer Spinat, gehackt

1 Tasse geschnittene Pilze

1 gewürfelte Zwiebel

2 Knoblauchzehen

1 Dose rote Enchiladasauce

12 Maistortillas

Salz und Pfeffer nach Geschmack

Heizen Sie den Ofen auf 375 °F vor. In einer Pfanne die Zwiebel und den Knoblauch anbraten, bis sie weich sind. Pilze und Spinat dazugeben und mit Salz und Pfeffer würzen. In einem Topf die Enchiladasauce bei mittlerer Hitze erhitzen. Tauchen Sie die Tortillas in die Sauce und legen Sie sie in eine 23 x 33 cm große Auflaufform. Füllen Sie jede Tortilla mit der Spinat-Pilz-Mischung und rollen Sie sie auf. Die restliche Soße über die Enchiladas gießen und 25–30 Minuten backen.

48. Enchiladas aus Süßkartoffeln und schwarzen Bohnen

Zutaten:

1 große Süßkartoffel, geschält und gewürfelt

1 Zwiebel, gehackt

1 Dose (15 oz) schwarze Bohnen, abgetropft und abgespült

1 Dose (10 oz) Enchiladasauce

8-10 Maistortillas

1 Tasse geriebener Cheddar-Käse

Salz und Pfeffer nach Geschmack

Anweisungen:

Ofen auf 350°F vorheizen.

In einer großen Pfanne die Süßkartoffel und die Zwiebel bei mittlerer Hitze kochen, bis sie weich sind.

Die schwarzen Bohnen in die Pfanne geben und umrühren.

Enchiladasauce unterrühren und mit Salz und Pfeffer abschmecken.

Verteilen Sie eine kleine Menge der Süßkartoffel-Schwarzbohnen-Mischung auf jeder Tortilla und rollen Sie sie fest auf.

Legen Sie die aufgerollten Tortillas mit der Naht nach unten in eine 23 x 33 cm große Auflaufform.

Gießen Sie die restliche Mischung aus Süßkartoffeln und schwarzen Bohnen über die Tortillas und bestreuen Sie sie mit geriebenem Käse.

20–25 Minuten backen, bis der Käse geschmolzen ist und Blasen bildet.

49. Geröstete Gemüse-Enchiladas

Zutaten:

2 rote Paprika, in Scheiben geschnitten
2 gelbe Kürbisse, in Scheiben geschnitten
1 Zucchini, in Scheiben geschnitten
1 Zwiebel, in Scheiben geschnitten
2 EL Olivenöl
Salz und Pfeffer nach Geschmack
8-10 Maistortillas
1 Dose (15 oz) schwarze Bohnen, abgetropft und abgespült
1 1/2 Tassen geriebener Cheddar-Käse
1 Dose (15 oz) Enchiladasauce

Anweisungen:

Heizen Sie den Ofen auf 400 °F vor.

Die geschnittenen Paprikaschoten, den gelben Kürbis, die Zucchini und die Zwiebeln in Olivenöl schwenken und mit Salz und Pfeffer würzen.

Das Gemüse auf einem Backblech verteilen und im vorgeheizten Ofen 20–25 Minuten rösten, bis es weich und leicht gebräunt ist.

Erwärmen Sie die Maistortillas in der Mikrowelle oder auf einer Grillplatte, bis sie weich und geschmeidig sind.

Gießen Sie eine kleine Menge Enchiladasauce auf den Boden einer 23 x 33 cm großen Auflaufform.

Auf jede Tortilla einen Löffel geröstetes Gemüse und schwarze Bohnen geben und fest aufrollen.

Legen Sie die aufgerollten Tortillas mit der Naht nach unten in die Auflaufform.

Gießen Sie die restliche Enchilada-Sauce über die Enchiladas.

Streuen Sie den geriebenen Cheddar-Käse über die Enchiladas.

Im vorgeheizten Ofen 20–25 Minuten backen oder bis der Käse geschmolzen ist und Blasen bildet.

Mit frischem Koriander garnieren und heiß servieren.

50. Blumenkohl-Enchiladas

Zutaten:

1 Blumenkohlkopf, in kleine Röschen geschnitten
1 Zwiebel, gehackt
2 Knoblauchzehen, gehackt
1 Dose (15 oz) schwarze Bohnen, abgetropft und abgespült
1 TL gemahlener Kreuzkümmel
1 TL Chilipulver
Salz und Pfeffer nach Geschmack
8-10 Maistortillas
1 1/2 Tassen geriebener Cheddar-Käse
1 Dose (15 oz) Enchiladasauce

Anweisungen:

Heizen Sie den Ofen auf 350 °F vor.

In einer großen Pfanne die gehackte Zwiebel und den Knoblauch etwa 2-3 Minuten anbraten, bis sie duften.

Geben Sie den gehackten Blumenkohl in die Pfanne und kochen Sie ihn etwa 10–12 Minuten lang, bis er weich ist.

Schwarze Bohnen, Kreuzkümmel, Chilipulver, Salz und Pfeffer in die Pfanne geben und gut verrühren.

Erwärmen Sie die Maistortillas in der Mikrowelle oder auf einer Grillplatte, bis sie weich und geschmeidig sind.

Gießen Sie eine kleine Menge Enchiladasauce auf den Boden einer 23 x 33 cm großen Auflaufform.

Geben Sie einen großzügigen Löffel der Blumenkohl-Schwarzbohnen-Mischung auf jede Tortilla und rollen Sie sie fest auf.

Legen Sie die aufgerollten Tortillas mit der Naht nach unten in die Auflaufform.

Gießen Sie die restliche Enchilada-Sauce über die Enchiladas.

Streuen Sie den geriebenen Cheddar-Käse über die Enchiladas.

Im vorgeheizten Ofen 20–25 Minuten backen oder bis der Käse geschmolzen ist und Blasen bildet.

Mit frischem Koriander garnieren und heiß servieren.

51. Enchiladas aus schwarzen Bohnen und Mais

Zutaten:

1 Zwiebel, gehackt
2 Knoblauchzehen, gehackt
1 Dose (15 oz) schwarze Bohnen, abgetropft und abgespült
1 Dose (15 oz) Mais, abgetropft
1 TL gemahlener Kreuzkümmel
Salz und Pfeffer nach Geschmack
8-10 Maistortillas
1 1/2 Tassen geriebener Cheddar-Käse
1 Dose (15 oz) Enchiladasauce

Anweisungen:
Heizen Sie den Ofen auf 350 °F vor.
In einer großen Pfanne die gehackte Zwiebel und den Knoblauch etwa 2-3 Minuten anbraten, bis sie duften.
Schwarze Bohnen, Mais, Kreuzkümmel, Salz und Pfeffer in die Pfanne geben und gut verrühren.
Erwärmen Sie die Maistortillas in der Mikrowelle oder auf einer Grillplatte, bis sie weich und geschmeidig sind.
Gießen Sie eine kleine Menge Enchiladasauce auf den Boden einer 23 x 33 cm großen Auflaufform.
Geben Sie einen großzügigen Löffel der schwarzen Bohnen-Mais-Mischung auf jede Tortilla und rollen Sie sie fest auf.
Legen Sie die aufgerollten Tortillas mit der Naht nach unten in die Auflaufform.
Gießen Sie die restliche Enchilada-Sauce über die Enchiladas.
Streuen Sie den geriebenen Cheddar-Käse über die Enchiladas.
Im vorgeheizten Ofen 20–25 Minuten backen oder bis der Käse geschmolzen ist und Blasen bildet.
Mit frischem Koriander garnieren und heiß servieren.

52. Butternusskürbis und Spinat-Enchiladas

Zutaten:

1 Butternusskürbis, geschält und gehackt
1 Zwiebel, gehackt
2 Knoblauchzehen, gehackt
1 Dose (15 oz) schwarze Bohnen, abgetropft und abgespült
1 Tasse gehackter Spinat
1 TL gemahlener Kreuzkümmel
Salz und Pfeffer nach Geschmack
8-10 Maistortillas
1 1/2 Tassen geriebener Monterey-Jack-Käse
1 Dose (15 oz) Enchiladasauce
Anweisungen:
Heizen Sie den Ofen auf 350 °F vor.
In einer großen Pfanne die gehackte Zwiebel und den Knoblauch etwa 2-3 Minuten anbraten, bis sie duften.
Geben Sie den gehackten Butternusskürbis in die Pfanne und kochen Sie ihn etwa 10–12 Minuten lang, bis er weich ist.
Schwarze Bohnen, Spinat, Kreuzkümmel, Salz und Pfeffer in die Pfanne geben und gut verrühren.
Erwärmen Sie die Maistortillas in der Mikrowelle oder auf einer Grillplatte, bis sie weich und geschmeidig sind.
Gießen Sie eine kleine Menge Enchiladasauce auf den Boden einer 23 x 33 cm großen Auflaufform.
Geben Sie einen großzügigen Löffel der Butternusskürbis-Spinat-Mischung auf jede Tortilla und rollen Sie sie fest auf.
Legen Sie die aufgerollten Tortillas mit der Naht nach unten in die Auflaufform.
Gießen Sie die restliche Enchilada-Sauce über die Enchiladas.
Streuen Sie den geriebenen Monterey-Jack-Käse über die Enchiladas.
Im vorgeheizten Ofen 20–25 Minuten backen oder bis der Käse geschmolzen ist und Blasen bildet.
Mit frischem Koriander garnieren und heiß servieren.

53. Zucchini und Mais-Enchiladas

Zutaten:

1 Zwiebel, gehackt
2 Knoblauchzehen, gehackt
2 Zucchini, gehackt
1 Dose (15 oz) Mais, abgetropft
1 TL gemahlener Kreuzkümmel
Salz und Pfeffer nach Geschmack
8-10 Maistortillas
1 1/2 Tassen geriebener Cheddar-Käse
1 Dose (15 oz) Enchiladasauce

Anweisungen:
Heizen Sie den Ofen auf 350 °F vor.
In einer großen Pfanne die gehackte Zwiebel und den Knoblauch etwa 2-3 Minuten anbraten, bis sie duften.
Die gehackten Zucchini und den Mais in die Pfanne geben und etwa 10–12 Minuten kochen, bis sie weich sind.
Kreuzkümmel, Salz und Pfeffer in die Pfanne geben und gut verrühren.
5. Erwärmen Sie die Maistortillas in der Mikrowelle oder auf einer Grillplatte, bis sie weich und geschmeidig sind.
Gießen Sie eine kleine Menge Enchiladasauce auf den Boden einer 23 x 33 cm großen Auflaufform.
Geben Sie einen großzügigen Löffel der Zucchini-Mais-Mischung auf jede Tortilla und rollen Sie sie fest auf.
Legen Sie die aufgerollten Tortillas mit der Naht nach unten in die Auflaufform.
Gießen Sie die restliche Enchilada-Sauce über die Enchiladas.
Streuen Sie den geriebenen Cheddar-Käse über die Enchiladas.
Im vorgeheizten Ofen 20–25 Minuten backen oder bis der Käse geschmolzen ist und Blasen bildet.
Mit frischem Koriander garnieren und heiß servieren.

54. Portobello-Pilz-Enchiladas

Zutaten:

2 EL Olivenöl

4 Portobello-Pilze, in Scheiben geschnitten

1 Zwiebel, gehackt

2 Knoblauchzehen, gehackt

1 Dose (15 oz) schwarze Bohnen, abgetropft und abgespült

1 TL gemahlener Kreuzkümmel

Salz und Pfeffer nach Geschmack

8-10 Maistortillas

1 1/2 Tassen geriebener Monterey-Jack-Käse

1 Dose (15 oz) Enchiladasauce

Anweisungen:

Heizen Sie den Ofen auf 350 °F vor.

Erhitzen Sie das Olivenöl in einer großen Pfanne bei mittlerer bis hoher Hitze.

Die in Scheiben geschnittenen Portobello-Pilze in die Pfanne geben und ca. 5–7 Minuten anbraten, bis sie weich und gebräunt sind.

Die gehackte Zwiebel und den Knoblauch in die Pfanne geben und etwa 2–3 Minuten anbraten, bis ein angenehmer Duft entsteht.

Schwarze Bohnen, Kreuzkümmel, Salz und Pfeffer in die Pfanne geben und gut verrühren.

Erwärmen Sie die Maistortillas in der Mikrowelle oder auf einer Grillplatte, bis sie weich und geschmeidig sind

Gilbert A

weitermachen

Gießen Sie eine kleine Menge Enchiladasauce auf den Boden einer 23 x 33 cm großen Auflaufform.

Geben Sie einen großzügigen Löffel der Mischung aus Pilzen und schwarzen Bohnen auf jede Tortilla und rollen Sie sie fest auf.

Legen Sie die aufgerollten Tortillas mit der Naht nach unten in die Auflaufform.

Gießen Sie die restliche Enchilada-Sauce über die Enchiladas.

Streuen Sie den geriebenen Monterey-Jack-Käse über die Enchiladas.

Im vorgeheizten Ofen 20–25 Minuten backen oder bis der Käse geschmolzen ist und Blasen bildet.

Mit frischem Koriander garnieren und heiß servieren.

VEGANE ENCHILADAS

55. Vegane Enchiladas aus schwarzen Bohnen und Mais

Zutaten:

1 Dose (15 oz) schwarze Bohnen, abgetropft und abgespült
1 Dose (15 oz) Mais, abgetropft
1/2 Tasse Salsa
1/2 Tasse gewürfelte Zwiebel
1/2 Tasse gehackter frischer Koriander
1 TL Kreuzkümmel
1 TL Chilipulver
8-10 Maistortillas
1 Tasse veganer geriebener Cheddar-Käse
Salz und Pfeffer nach Geschmack

Anweisungen:

Ofen auf 350°F vorheizen.

In einer großen Schüssel schwarze Bohnen, Mais, Salsa, Zwiebeln, Koriander, Kreuzkümmel und Chilipulver vermischen. Mit Salz und Pfeffer abschmecken.

Eine kleine Menge der Bohnenmischung auf jede Tortilla verteilen und fest aufrollen.

Legen Sie die aufgerollten Tortillas mit der Naht nach unten in eine 23 x 33 cm große Auflaufform.

Mit veganem geriebenem Käse bestreuen und 20–25 Minuten backen, bis der Käse geschmolzen ist und Blasen bildet.

56. Vegane Kichererbsen-Enchiladas

Zutaten:

2 Dosen (je 15 oz) Kichererbsen, abgetropft und abgespült

1 Zwiebel, gehackt

2 Knoblauchzehen, gehackt

1 Dose (10 oz) rote Enchiladasauce

8-10 Maistortillas

1 Tasse veganer geriebener Cheddar-Käse

Salz und Pfeffer nach Geschmack

Anweisungen:

Ofen auf 350°F vorheizen.

In einer großen Pfanne die Zwiebel und den Knoblauch bei mittlerer Hitze anbraten, bis sie weich sind.

Die Kichererbsen in die Pfanne geben und umrühren.

Die rote Enchiladasauce einrühren und mit Salz und Pfeffer abschmecken.

Eine kleine Menge der Kichererbsenmischung auf jede Tortilla verteilen und fest aufrollen.

Legen Sie die aufgerollten Tortillas mit der Naht nach unten in eine 23 x 33 cm große Auflaufform.

Mit veganem geriebenem Käse bestreuen und 20–25 Minuten backen, bis der Käse geschmolzen ist und Blasen bildet.

57. Vegane Süßkartoffel-Enchiladas

Zutaten:

2 große Süßkartoffeln, geschält und gewürfelt

1 Dose (15 oz) schwarze Bohnen, abgetropft und abgespült

1 Zwiebel, gehackt

2 Knoblauchzehen, gehackt

1 Dose (10 oz) grüne Enchiladasauce

8-10 Maistortillas

1 Tasse veganer geriebener Cheddar-Käse

Salz und Pfeffer nach Geschmack

Anweisungen:

Ofen auf 350°F vorheizen.

Die gewürfelten Süßkartoffeln dämpfen, bis sie weich sind.

In einer großen Pfanne die Zwiebel und den Knoblauch bei mittlerer Hitze anbraten, bis sie weich sind.

Die schwarzen Bohnen und die gedünsteten Süßkartoffeln in die Pfanne geben und umrühren.

Die grüne Enchiladasauce unterrühren und mit Salz und Pfeffer abschmecken.

Eine kleine Menge der Süßkartoffelmischung auf jede Tortilla verteilen und fest aufrollen.

Legen Sie die aufgerollten Tortillas mit der Naht nach unten in eine 23 x 33 cm große Auflaufform.

Mit veganem geriebenem Käse bestreuen und 20–25 Minuten backen, bis der Käse geschmolzen ist und Blasen bildet.

58. Vegane Spinat- und Tofu-Enchiladas

Zutaten:

1 Block (14 oz) fester Tofu, abgetropft und zerkrümelt
2 Tassen frischer Spinat, gehackt
1 Zwiebel, gehackt
2 Knoblauchzehen, gehackt
1 Dose (10 oz) rote Enchiladasauce
8-10 Maistortillas
1 Tasse veganer geriebener Cheddar-Käse
Salz und Pfeffer nach Geschmack

Anweisungen:

Ofen auf 350°F vorheizen.

In einer großen Pfanne die Zwiebel und den Knoblauch bei mittlerer Hitze anbraten, bis sie weich sind.

Den zerbröckelten Tofu und den gehackten Spinat in die Pfanne geben und verrühren.

Die rote Enchiladasauce einrühren und mit Salz und Pfeffer abschmecken.

Eine kleine Menge der Tofu-Spinat-Mischung auf jede Tortilla verteilen und fest aufrollen.

Legen Sie die aufgerollten Tortillas mit der Naht nach unten in eine 23 x 33 cm große Auflaufform.

Mit veganem geriebenem Käse bestreuen und 20–25 Minuten backen, bis der Käse geschmolzen ist und Blasen bildet.

59. Vegane Jackfrucht-Enchiladas

Zutaten:

2 Dosen (insgesamt 20 Unzen) Jackfrucht, abgetropft und zerkleinert

1 Zwiebel, gehackt

2 Knoblauchzehen, gehackt

1 Dose (10 oz) grüne Enchiladasauce

8-10 Maistortillas

1 Tasse veganer geriebener Cheddar-Käse

Salz und Pfeffer nach Geschmack

Anweisungen:

Ofen auf 350°F vorheizen.

In einer großen Pfanne die Zwiebel und den Knoblauch bei mittlerer Hitze anbraten, bis sie weich sind.

Die zerkleinerte Jackfrucht in die Pfanne geben und umrühren.

Die grüne Enchiladasauce unterrühren und mit Salz und Pfeffer abschmecken.

Eine kleine Menge der Jackfruchtmischung auf jede Tortilla verteilen und fest aufrollen.

Legen Sie die aufgerollten Tortillas mit der Naht nach unten in eine 23 x 33 cm große Auflaufform.

Mit veganem geriebenem Käse bestreuen und 20–25 Minuten backen, bis der Käse geschmolzen ist und Blasen bildet.

60. Vegane Linsen-Enchiladas

Zutaten:

1 Tasse trockene Linsen, abgespült und abgetropft

1 Zwiebel, gehackt

2 Knoblauchzehen, gehackt

1 Dose (10 oz) rote Enchiladasauce

8-10 Maistortillas

1 Tasse veganer geriebener Cheddar-Käse

Salz und Pfeffer nach Geschmack

Anweisungen:

Ofen auf 350°F vorheizen.

In einem großen Topf die Linsen nach Packungsanleitung kochen, bis sie weich sind.

In einer großen Pfanne die Zwiebel und den Knoblauch bei mittlerer Hitze anbraten, bis sie weich sind.

Die gekochten Linsen in die Pfanne geben und umrühren.

Die rote Enchiladasauce einrühren und mit Salz und Pfeffer abschmecken.

Eine kleine Menge der Linsenmischung auf jede Tortilla verteilen und fest aufrollen.

Legen Sie die aufgerollten Tortillas mit der Naht nach unten in eine 23 x 33 cm große Auflaufform.

Mit veganem geriebenem Käse bestreuen und 20–25 Minuten backen, bis der Käse geschmolzen ist und Blasen bildet.

61. Vegane Tempeh-Enchiladas

Zutaten:

1 Packung (8 oz) Tempeh, zerbröselt

1 Zwiebel, gehackt

2 Knoblauchzehen, gehackt

1 Dose (10 oz) rote Enchiladasauce

8-10 Maistortillas

1 Tasse veganer geriebener Cheddar-Käse

Salz und Pfeffer nach Geschmack

Anweisungen:

Ofen auf 350°F vorheizen.

In einer großen Pfanne die Zwiebel und den Knoblauch bei mittlerer Hitze anbraten, bis sie weich sind.

Das zerbröckelte Tempeh in die Pfanne geben und verrühren.

Die rote Enchiladasauce einrühren und mit Salz und Pfeffer abschmecken.

Verteilen Sie eine kleine Menge der Tempeh-Mischung auf jeder Tortilla und rollen Sie sie fest auf.

Legen Sie die aufgerollten Tortillas mit der Naht nach unten in eine 23 x 33 cm große Auflaufform.

Mit veganem geriebenem Käse bestreuen und 20–25 Minuten backen, bis der Käse geschmolzen ist und Blasen bildet.

62. Vegane Süßkartoffel-Enchiladas

Zutaten:
2 Süßkartoffeln, geschält und gewürfelt
1 Zwiebel, gehackt
2 Knoblauchzehen, gehackt
1 Dose (10 oz) grüne Enchiladasauce
8-10 Maistortillas
1 Tasse veganer geriebener Cheddar-Käse
Salz und Pfeffer nach Geschmack

Anweisungen:
Ofen auf 350°F vorheizen.
In einer großen Pfanne die Zwiebel und den Knoblauch bei mittlerer Hitze anbraten, bis sie weich sind.
Die gewürfelten Süßkartoffeln in die Pfanne geben und unter gelegentlichem Rühren weich kochen.
Die grüne Enchiladasauce unterrühren und mit Salz und Pfeffer abschmecken.
Eine kleine Menge der Süßkartoffelmischung auf jede Tortilla verteilen und fest aufrollen.
Legen Sie die aufgerollten Tortillas mit der Naht nach unten in eine 23 x 33 cm große Auflaufform.
Mit veganem geriebenem Käse bestreuen und 20–25 Minuten backen, bis der Käse geschmolzen ist und Blasen bildet.

63. Vegane Quinoa-Enchiladas

Zutaten:
1 Tasse Quinoa, abgespült und abgetropft
1 Zwiebel, gehackt
2 Knoblauchzehen, gehackt
1 Dose (10 oz) rote Enchiladasauce
8-10 Maistortillas
1 Tasse veganer geriebener Cheddar-Käse
Salz und Pfeffer nach Geschmack

Anweisungen:
Ofen auf 350°F vorheizen.
In einem großen Topf die Quinoa nach Packungsanleitung kochen.
In einer großen Pfanne die Zwiebel und den Knoblauch bei mittlerer Hitze anbraten, bis sie weich sind.
Den gekochten Quinoa in die Pfanne geben und umrühren.
Die rote Enchiladasauce einrühren und mit Salz und Pfeffer abschmecken.
Eine kleine Menge der Quinoa-Mischung auf jede Tortilla verteilen und fest aufrollen.
Legen Sie die aufgerollten Tortillas mit der Naht nach unten in eine 23 x 33 cm große Auflaufform.
Mit veganem geriebenem Käse bestreuen und 20–25 Minuten backen, bis der Käse geschmolzen ist und Blasen bildet.

FRUCHT-ENCHILADAS

64. Erdbeer-Frischkäse-Enchiladas

Zutaten:
10 Mehl-Tortillas
1 Packung (8 oz) Frischkäse, weich
1/4 Tasse Kristallzucker
2 Tassen frische Erdbeeren, in Scheiben geschnitten
1/4 Tasse ungesalzene Butter, geschmolzen
1/2 Tasse Kristallzucker
1/2 TL gemahlener Zimt
Schlagsahne zum Servieren

Anweisungen:
Heizen Sie den Ofen auf 350 °F vor.
In einer mittelgroßen Schüssel den Frischkäse und 1/4 Tasse Zucker glatt rühren.
Legen Sie eine Tortilla auf eine ebene Fläche und verteilen Sie etwa 1 1/2 Esslöffel der Frischkäsemischung in der Mitte.
Ein paar Erdbeerscheiben auf die Frischkäsemischung legen.
Rollen Sie die Tortilla fest auf und legen Sie sie mit der Naht nach unten in eine 23 x 33 cm große Auflaufform.
Wiederholen Sie den Vorgang mit den restlichen Tortillas, der Frischkäsemischung und den Erdbeeren.
In einer kleinen Schüssel die geschmolzene Butter, 1/2 Tasse Zucker und Zimt vermischen.
Die Buttermischung über die Enchiladas gießen.
20–25 Minuten backen oder bis die Enchiladas goldbraun und knusprig sind. Mit Schlagsahne servieren.

65. Ananas-Enchiladas

Zutaten:

10 Maistortillas
2 Tassen frische Ananas, gewürfelt
1/4 Tasse ungesalzene Butter, geschmolzen
1/2 Tasse Kristallzucker
1/2 TL gemahlener Zimt
1 Tasse Sahne
1/2 Tasse gesüßte Kondensmilch
Anweisungen:
Heizen Sie den Ofen auf 350 °F vor.
Erwärmen Sie die Tortillas in der Mikrowelle oder auf einer Grillplatte, bis sie weich und geschmeidig sind.
Geben Sie ein paar Löffel gewürfelte Ananas in die Mitte jeder Tortilla und rollen Sie sie fest auf.
Legen Sie die aufgerollten Tortillas mit der Naht nach unten in eine 23 x 33 cm große Auflaufform.
In einer kleinen Schüssel die geschmolzene Butter, 1/2 Tasse Zucker und Zimt vermischen.
Die Buttermischung über die Enchiladas gießen.
20–25 Minuten backen oder bis die Enchiladas goldbraun und knusprig sind.
In einer mittelgroßen Schüssel die Sahne und die gesüßte Kondensmilch verrühren, bis sich weiche Spitzen bilden.
Servieren Sie die Enchiladas heiß mit einem Klecks Schlagsahne darüber.

66. Apfel-Enchiladas

Zutaten:

10 Mehl-Tortillas
2 Tassen geschälte und gewürfelte Äpfel
1/2 Tasse ungesalzene Butter, geschmolzen
1/2 Tasse Kristallzucker
1 TL gemahlener Zimt
1/2 Tasse gehackte Walnüsse (optional)
Vanilleeis zum Servieren
Anweisungen:

Heizen Sie den Ofen auf 350 °F vor.
In einer mittelgroßen Schüssel die gewürfelten Äpfel, 1/4 Tasse geschmolzene Butter, 1/4 Tasse Zucker und Zimt vermischen.
Erwärmen Sie die Tortillas in der Mikrowelle oder auf einer Grillplatte, bis sie weich und geschmeidig sind.
Etwas von der Apfelmischung auf jede Tortilla geben und fest aufrollen.
Legen Sie die aufgerollten Tortillas mit der Naht nach unten in eine 23 x 33 cm große Auflaufform.
In einer kleinen Schüssel die restliche geschmolzene Butter, den Zucker und die gehackten Walnüsse (falls verwendet) vermischen.
Die Buttermischung über die Enchiladas gießen.
20–25 Minuten backen oder bis die Enchiladas goldbraun und knusprig sind.
Servieren Sie die Enchiladas heiß mit einer Kugel Vanilleeis darüber.

67. Gemischte Beeren-Enchiladas

Zutaten:

10 Mehl-Tortillas
2 Tassen gemischte frische Beeren (wie Erdbeeren, Blaubeeren und Himbeeren), gehackt
1/4 Tasse ungesalzene Butter, geschmolzen
1/2 Tasse Kristallzucker
1/2 TL gemahlener Zimt
Schlagsahne zum Servieren
Anweisungen:
Heizen Sie den Ofen auf 350 °F vor.
In einer mittelgroßen Schüssel die gehackten Beeren, 1/4 Tasse Zucker und Zimt vermischen.
Erwärmen Sie die Tortillas in der Mikrowelle oder auf einer Grillplatte, bis sie weich und geschmeidig sind.
Etwas von der Beerenmischung auf jede Tortilla geben und fest aufrollen.
Legen Sie die aufgerollten Tortillas mit der Naht nach unten in eine 23 x 33 cm große Auflaufform.
In einer kleinen Schüssel die geschmolzene Butter und den restlichen Zucker vermischen.
Die Buttermischung über die Enchiladas gießen.
20–25 Minuten backen oder bis die Enchiladas goldbraun und knusprig sind.
Die Enchiladas heiß mit Schlagsahne servieren.

68. Pfirsich-Enchiladas

Zutaten:

10 Mehl-Tortillas
2 Tassen geschälte und gewürfelte Pfirsiche
1/2 Tasse ungesalzene Butter, geschmolzen
1/2 Tasse Kristallzucker
1 TL gemahlener Zimt
Vanilleeis zum Servieren
Anweisungen:

Heizen Sie den Ofen auf 350 °F vor.
In einer mittelgroßen Schüssel die gewürfelten Pfirsiche, 1/4 Tasse geschmolzene Butter, 1/4 Tasse Zucker und Zimt vermischen.
Erwärmen Sie die Tortillas in der Mikrowelle oder auf einer Grillplatte, bis sie weich und geschmeidig sind.
Etwas von der Pfirsichmischung auf jede Tortilla geben und fest aufrollen.
Legen Sie die aufgerollten Tortillas mit der Naht nach unten in eine 23 x 33 cm große Auflaufform.
In einer kleinen Schüssel die restliche geschmolzene Butter und den Zucker vermischen.
Die Buttermischung über die Enchiladas gießen.
20–25 Minuten backen oder bis die Enchiladas goldbraun und knusprig sind.
Servieren Sie die Enchiladas heiß mit einer Kugel Vanilleeis darüber.

Hülsenfrüchte und Getreide

69. Quinoa-Enchilada-Auflauf

Macht: 6

ZUTATEN:
- 1 1/2 Tassen ungekochter Quinoa
- 1 Tasse Enchiladasauce
- 2 1/4 Tassen Gemüsebrühe
- 1 mittelgroße Zwiebel, gehackt
- 14,5 Unzen gewürfelte Tomaten, nicht abgetropft
- 15 Unzen Maiskörner, abgetropft und abgespült
- 15oz schwarze Bohnen aus der Dose, abgetropft und abgespült
- 1 Esslöffel Chilipulver
- 1 1/2 Teelöffel Kreuzkümmelpulver
- 1/2 Teelöffel gemahlener schwarzer Pfeffer
- 3/4 Tasse grüne Paprika, gehackt
- 3/4 Tasse rote Paprika, gehackt
- 5 Knoblauchzehen, gehackt
- 1 1/4 Tassen pflanzliche Mozzarella-Käseschnitzel
- 1 1/2 Esslöffel Limettensaft
- 1/2 Teelöffel Meersalz
- Gehackte Petersilie, gehackte Tomaten, pflanzliche Sauerrahm

ANWEISUNGEN:
a)   Alle Zutaten außer dem Käse und der Limette im Slow Cooker mit der Gemüsebrühe vermischen. Ein paar Mal umrühren, um alles gründlich zu vermischen.
b)   Stellen Sie den Slow Cooker für 2 bis 2½ Stunden auf hoch.
c)   Öffnen Sie den Slow Cooker und fügen Sie den Limettensaft und 12 Käsescheiben hinzu.
d)   Rühren Sie die Mischung um und streichen Sie sie anschließend glatt. Den restlichen Käse darüber streuen, dann den Deckel wieder aufsetzen und 10 Minuten kochen lassen.
e)   Mit Ihren Lieblingszutaten servieren – Avocado, gehackte Frühlingszwiebeln, Petersilie, Sauerrahm und Tomate.

70. Enchiladas aus Süßkartoffeln und schwarzen Bohnen

2 mittelgroße Süßkartoffeln, geschält und gewürfelt

1 Dose schwarze Bohnen, abgetropft und abgespült

1 gewürfelte Zwiebel

2 Knoblauchzehen

1 Dose grüne Enchiladasauce

12 Maistortillas

Salz und Pfeffer nach Geschmack

Heizen Sie den Ofen auf 375 °F vor. In einer Pfanne die Zwiebel und den Knoblauch anbraten, bis sie weich sind. Die Süßkartoffeln und schwarzen Bohnen hinzufügen und mit Salz und Pfeffer würzen. In einem Topf die Enchiladasauce bei mittlerer Hitze erhitzen. Tauchen Sie die Tortillas in die Sauce und legen Sie sie in eine 23 x 33 cm große Auflaufform. Füllen Sie jede Tortilla mit der Mischung aus Süßkartoffeln und schwarzen Bohnen und rollen Sie sie auf. Die restliche Soße über die Enchiladas gießen und 25–30 Minuten backen.

71. <u>Enchiladas mit schwarzen Bohnen</u>

Zutaten:

1 Dose (15 oz) schwarze Bohnen, abgetropft und abgespült
1 Zwiebel, gehackt
2 Knoblauchzehen, gehackt
1 Dose (10 oz) Enchiladasauce
8-10 Maistortillas
1 Tasse geriebener Cheddar-Käse
Salz und Pfeffer nach Geschmack

Anweisungen:

Ofen auf 350°F vorheizen.

In einer großen Pfanne die Zwiebel und den Knoblauch bei mittlerer Hitze anbraten, bis sie weich sind.

Die schwarzen Bohnen in die Pfanne geben und umrühren.

Enchiladasauce unterrühren und mit Salz und Pfeffer abschmecken.

Eine kleine Menge der schwarzen Bohnenmischung auf jede Tortilla verteilen und fest aufrollen.

Legen Sie die aufgerollten Tortillas mit der Naht nach unten in eine 23 x 33 cm große Auflaufform.

Die restliche schwarze Bohnenmischung über die Tortillas gießen und mit geriebenem Käse bestreuen.

20–25 Minuten backen, bis der Käse geschmolzen ist und Blasen bildet

72. Gemischte Bohnen-Enchiladas

Zutaten:

10 Maistortillas
1 Dose (15 oz) schwarze Bohnen, abgetropft und abgespült
1 Dose (15 oz) Kidneybohnen, abgetropft und abgespült
1 Dose (15 oz) Pintobohnen, abgetropft und abgespült
1 Dose (4 oz) gewürfelte grüne Chilis
1/2 Tasse gehackte Zwiebel
1/2 Tasse gehackte grüne Paprika
2 Knoblauchzehen, gehackt
1 TL gemahlener Kreuzkümmel
1 TL Chilipulver
2 Tassen Enchiladasauce
1 Tasse geriebener Cheddar-Käse
1/4 Tasse gehackter frischer Koriander
Anweisungen:

Heizen Sie den Ofen auf 375 °F vor.
In einer großen Schüssel schwarze Bohnen, Kidneybohnen, Pintobohnen, grüne Chilis, Zwiebeln, Paprika, Knoblauch, Kreuzkümmel und Chilipulver vermischen.
Erwärmen Sie die Tortillas in der Mikrowelle oder auf einer Grillplatte, bis sie weich und geschmeidig sind.
Etwas von der Bohnenmischung auf jede Tortilla geben und fest aufrollen.
Legen Sie die aufgerollten Tortillas mit der Naht nach unten in eine 23 x 33 cm große Auflaufform.
Die Enchiladasauce über die Enchiladas gießen.
Streuen Sie den geriebenen Käse über die Enchiladas.
20–25 Minuten backen, oder bis die Enchiladas goldbraun sind und der Käse geschmolzen ist.
Vor dem Servieren den gehackten Koriander über die Enchiladas streuen.

SAUCEN

73. Einfache rote Enchilada-Sauce

Macht: 7

ZUTATEN:
- Zwiebel und Knoblauch
- 1 Tasse weiße Zwiebel, gehackt
- 4 Knoblauchzehen, geschält und zerdrückt
- 3 Esslöffel Gemüsebrühe
- Pfeffer
- 2 getrocknete Arbol-Chilis, Stiele entfernt
- 7 milde getrocknete Chilis
- 1 Tasse Wasser
- 2 Tassen Gemüsebrühe
- Gewürze
- 1/4 Tasse Tomatenmark
- 1 Teelöffel gemahlener geräucherter Paprika
- 1 Teelöffel gemahlener Kreuzkümmel
- 1 Teelöffel getrockneter Oregano
- 1/2 Teelöffel Meersalz

ANWEISUNGEN:
a)   In einer Pfanne mit Rand bei mittlerer Hitze Gemüsebrühe hinzufügen.

b)   Zwiebel und Knoblauch 4-5 Minuten anbraten. Kochen, bis es leicht gebräunt und zart ist.

c)   Mit den getrockneten Chilis 2 Minuten kochen lassen. Anschließend Gemüsebrühe und Wasser angießen.

d)   Bringen Sie das Wasser zum Kochen, reduzieren Sie dann die Hitze und decken Sie es ab. 15 Minuten köcheln lassen.

e)   Tomatenmark, Kreuzkümmel, Paprika, Salz und Oregano in einer Rührschüssel vermischen (optional). Unter gelegentlichem Rühren mindestens 5 Minuten kochen lassen, bis die Paprika weich sind.

f)   In einem Hochgeschwindigkeitsmixer cremig und glatt mixen. Abschmecken und den Geschmack nach Wunsch anpassen. Sofort servieren.

74. Rote Enchilada-Sauce

2 Esslöffel Pflanzenöl
2 Esslöffel Allzweckmehl
4 Esslöffel Chilipulver
1/2 Teelöffel Knoblauchpulver
1/2 Teelöffel Zwiebelpulver
1/2 Teelöffel gemahlener Kreuzkümmel
2 Tassen Hühner- oder Gemüsebrühe
Salz nach Geschmack

Öl in einem Topf bei mittlerer Hitze erhitzen. Mehl hinzufügen und 1 Minute rühren. Chilipulver, Knoblauchpulver, Zwiebelpulver und Kreuzkümmel hinzufügen. Rühren, bis alles gut vermischt ist. Unter ständigem Rühren nach und nach Brühe hinzufügen. Zum Kochen bringen und die Hitze auf eine niedrige Stufe reduzieren. 10–15 Minuten köcheln lassen, dabei gelegentlich umrühren. Mit Salz abschmecken.

75. Grüne Enchilada-Sauce

1 Pfund Tomaten, geschält und abgespült

2 Jalapenos, entkernt und gehackt

1 Zwiebel, gehackt

3 Knoblauchzehen, gehackt

1/2 Tasse frischer Koriander, gehackt

1 Esslöffel Limettensaft

Salz nach Geschmack

Tomaten, Jalapenos, Zwiebeln und Knoblauch in einen Mixer oder eine Küchenmaschine geben. Alles glatt rühren. In einen Topf geben und bei mittlerer Hitze köcheln lassen. 10-15 Minuten kochen lassen, dabei gelegentlich umrühren. Koriander und Limettensaft unterrühren. Mit Salz abschmecken.

76. Ancho-Chili-Enchilada-Sauce

2 Ancho-Chilischoten, ohne Stiel und entkernt
1 Zwiebel, gehackt
3 Knoblauchzehen, gehackt
1 Teelöffel Kreuzkümmel
1 Teelöffel getrockneter Oregano
1 Esslöffel Pflanzenöl
2 Tassen Hühner- oder Gemüsebrühe
Salz nach Geschmack

Ancho-Chilischoten in einer trockenen Pfanne bei mittlerer Hitze etwa 1 Minute lang rösten, bis sie duften. Zwiebel, Knoblauch, Kreuzkümmel und Oregano hinzufügen. Kochen, bis die Zwiebel weich ist, etwa 5 Minuten. Geben Sie die Mischung in einen Mixer oder eine Küchenmaschine. Brühe hinzufügen und glatt rühren. Öl in einem Topf bei mittlerer Hitze erhitzen. Die Chili-Pfeffer-Mischung hinzufügen und zum Kochen bringen. 10-15 Minuten kochen lassen, dabei gelegentlich umrühren. Mit Salz abschmecken.

77. Geröstete Tomaten-Enchilada-Sauce

6 Roma-Tomaten, halbiert
1 Zwiebel, gehackt
3 Knoblauchzehen, gehackt
2 Esslöffel Pflanzenöl
2 Teelöffel Chilipulver
1/2 Teelöffel Kreuzkümmel
2 Tassen Hühner- oder Gemüsebrühe
Salz nach Geschmack

Ofen auf 400 °F vorheizen. Tomaten mit der Schnittseite nach oben auf einem Backblech anordnen. 20–25 Minuten rösten, bis die Tomaten zart und leicht gebräunt sind. Öl in einem Topf bei mittlerer Hitze erhitzen. Zwiebel und Knoblauch hinzufügen und ca. 5 Minuten kochen, bis die Zwiebel weich ist. Chilipulver und Kreuzkümmel hinzufügen und 1 Minute kochen lassen.

Geröstete Tomaten und Brühe hinzufügen. Zum Kochen bringen, die Hitze reduzieren und 10–15 Minuten köcheln lassen. Mit Salz abschmecken.

78. Chipotle-Enchilada-Sauce

2 Esslöffel Pflanzenöl
2 Esslöffel Allzweckmehl
2 Esslöffel Chipotle-Chilipulver
1/2 Teelöffel Knoblauchpulver
1/2 Teelöffel Zwiebelpulver
1/2 Teelöffel Kreuzkümmel
2 Tassen Hühner- oder Gemüsebrühe
Salz nach Geschmack

Öl in einem Topf bei mittlerer Hitze erhitzen. Mehl hinzufügen und 1 Minute rühren. Chipotle-Chilipulver, Knoblauchpulver, Zwiebelpulver und Kreuzkümmel hinzufügen. Rühren, bis alles gut vermischt ist. Unter ständigem Rühren nach und nach Brühe hinzufügen. Zum Kochen bringen und die Hitze auf eine niedrige Stufe reduzieren. 10–15 Minuten köcheln lassen, dabei gelegentlich umrühren. Mit Salz abschmecken.

79. Cremige Enchilada-Sauce

2 Esslöffel Butter

2 Esslöffel Allzweckmehl

2 Tassen Hühner- oder Gemüsebrühe

1 Tasse Sahne

1 Teelöffel Chilipulver

1/2 Teelöffel Kreuzkümmel

Salz nach Geschmack

Butter in einem Topf bei mittlerer Hitze schmelzen. Mehl hinzufügen und 1 Minute rühren. Unter ständigem Rühren nach und nach Brühe hinzufügen. Zum Kochen bringen und die Hitze auf eine niedrige Stufe reduzieren. 10–15 Minuten köcheln lassen, dabei gelegentlich umrühren. Sahne, Chilipulver und Kreuzkümmel einrühren. Unter ständigem Rühren 5 Minuten kochen lassen. Mit Salz abschmecken.

80. Rauchige Enchilada-Sauce

1 Esslöffel Pflanzenöl
1 Zwiebel, gehackt
2 Knoblauchzehen, gehackt
2 Esslöffel Chilipulver
1 Teelöffel geräuchertes Paprikapulver
1/2 Teelöffel Kreuzkümmel
2 Tassen Hühner- oder Gemüsebrühe
Salz nach Geschmack

Öl in einem Topf bei mittlerer Hitze erhitzen. Zwiebel und Knoblauch hinzufügen und ca. 5 Minuten kochen, bis die Zwiebel weich ist. Chilipulver, geräuchertes Paprikapulver und Kreuzkümmel hinzufügen. 1 Minute kochen lassen. Unter ständigem Rühren nach und nach Brühe hinzufügen. Zum Kochen bringen und die Hitze auf eine niedrige Stufe reduzieren. 10–15 Minuten köcheln lassen, dabei gelegentlich umrühren. Mit Salz abschmecken.

81. Mole-Enchilada-Sauce

1/2 Tasse Pflanzenöl

2 Ancho-Chilischoten, ohne Stiel und entkernt

2 Pasilla-Chilischoten, entkernt und entkernt

1 Zwiebel, gehackt

3 Knoblauchzehen, gehackt

2 Esslöffel Kakaopulver

1 Teelöffel Zimt

1/2 Teelöffel Kreuzkümmel

2 Tassen Hühner- oder Gemüsebrühe

Salz nach Geschmack

Öl in einer Pfanne bei mittlerer Hitze erhitzen. Chilischoten dazugeben und etwa 1 Minute pro Seite anbraten, bis sie leicht verkohlt sind. Paprika aus der Pfanne nehmen und abkühlen lassen. Zwiebel und Knoblauch in die Pfanne geben und ca. 5 Minuten kochen, bis die Zwiebel weich ist. Geben Sie die Mischung in einen Mixer oder eine Küchenmaschine. Kakaopulver, Zimt und Kreuzkümmel hinzufügen. Die abgekühlten Paprikaschoten und 1 Tasse Brühe hinzufügen. Alles glatt rühren. Die restliche Brühe in einem Topf bei mittlerer Hitze erhitzen. Die gemischte Mischung hinzufügen und 10–15 Minuten köcheln lassen, dabei gelegentlich umrühren. Mit Salz abschmecken.

82. Ranchero-Enchilada-Sauce

1 Esslöffel Pflanzenöl
1 Zwiebel, gehackt
2 Knoblauchzehen, gehackt
2 Teelöffel Chilipulver
1/2 Teelöffel Kreuzkümmel
1 Dose (14 Unzen) gewürfelte Tomaten
1 Dose (8 Unzen) Tomatensauce
Salz nach Geschmack
Öl in einem Topf bei mittlerer Hitze erhitzen. Zwiebel und
Knoblauch hinzufügen und ca. 5 Minuten kochen, bis die Zwiebel
weich ist. Chilipulver und Kreuzkümmel hinzufügen. 1 Minute
kochen lassen. Gewürfelte Tomaten und Tomatensauce
hinzufügen. Zum Kochen bringen, die Hitze reduzieren und 10–
15 Minuten köcheln lassen, dabei gelegentlich umrühren. Mit
Salz abschmecken.

83. Weiße Enchilada-Sauce

2 Esslöffel Butter

2 Esslöffel Allzweckmehl

2 Tassen Hühner- oder Gemüsebrühe

1 Tasse Sauerrahm

1 Dose (4 Unzen) gehackte grüne Chilis

Salz nach Geschmack

Butter in einem Topf bei mittlerer Hitze schmelzen. Mehl hinzufügen und 1 Minute rühren. Unter ständigem Rühren nach und nach Brühe hinzufügen. Zum Kochen bringen und die Hitze auf eine niedrige Stufe reduzieren. 10–15 Minuten köcheln lassen, dabei gelegentlich umrühren. Sauerrahm und grüne Chilis unterrühren. Unter ständigem Rühren 5 Minuten kochen lassen. Mit Salz abschmecken.

84. Whiskey-Chipotle-Enchilada-Sauce

2 Esslöffel Pflanzenöl
1 Zwiebel, gehackt
3 Knoblauchzehen, gehackt
2 Esslöffel Adobo-Sauce
1 Teelöffel Chilipulver
1/2 Teelöffel Kreuzkümmel
2 Tassen Hühner- oder Gemüsebrühe
Salz nach Geschmack
2 Esslöffel Whisky

Öl in einem Topf bei mittlerer Hitze erhitzen. Zwiebel und Knoblauch hinzufügen und ca. 5 Minuten kochen, bis die Zwiebel weich ist. Adobo-Sauce, Whiskey, Chilipulver und Kreuzkümmel hinzufügen. 1 Minute kochen lassen. Unter ständigem Rühren nach und nach Brühe hinzufügen. Zum Kochen bringen und die Hitze auf eine niedrige Stufe reduzieren. 10–15 Minuten köcheln lassen, dabei gelegentlich umrühren. Mit Salz abschmecken.

85. Vegane Cashew-Käsesauce

Ergibt: 6 Portionen

ZUTATEN:

- 1,5 Tassen Cashewnüsse eingeweicht und über Nacht eingeweicht
- ¾ Tasse Wasser
- ½ Tasse Nährhefe
- 1 Esslöffel Senf oder Dijon-Senf
- 3 Esslöffel Zitronensaft
- 1 Teelöffel geräuchertes Paprikapulver
- ½ Esslöffel Kurkuma
- 1 Esslöffel Knoblauchpulver
- 1 Teelöffel Salz
- 3 Knoblauchzehen, geschält

ANWEISUNGEN

a) Cashewnüsse abtropfen lassen und dann alle Zutaten in einen Mixer geben.

b) Auf höchster Stufe mixen, bis eine cremige und glatte Masse entsteht.

86. Frisches Tomatensalsa

Ergibt: 2 Tassen

ZUTATEN:

- 5 reife Roma- oder Pflaumentomaten, gehackt
- 1 Serrano-Chili, entkernt und gehackt
- ¼ Tasse gehackte rote Zwiebel
- 1 Knoblauchzehe, gehackt
- 1 Esslöffel gehackter frischer Koriander
- 1 Esslöffel frischer Limettensaft
- ½ Teelöffel Salz

ANWEISUNGEN

a) In einer Glasschüssel alle Zutaten vermengen und gut verrühren.

b) Vor dem Servieren abdecken und 30 Minuten ruhen lassen. Wenn Sie es nicht sofort verwenden, decken Sie es ab und kühlen Sie es bis zur Verwendung.

c) Diese Salsa schmeckt am besten, wenn sie am selben Tag verwendet wird, an dem sie zubereitet wird. Bei richtiger Lagerung ist sie jedoch bis zu 2 Tage haltbar.

87. Würzige Mango-Paprika-Salsa

Ergibt: 2½ Tassen

ZUTATEN:
- 1 reife Mango, geschält, entkernt und in ¼-Zoll-Würfel geschnitten
- 1/3 Tasse gehackte rote Zwiebel
- 1 kleine rote Paprika, gehackt
- 1 kleiner Jalapeño, entkernt und gehackt
- 2 Esslöffel gehackte frische Petersilie oder Koriander
- 1 Esslöffel frischer Limettensaft
- Salz

ANWEISUNGEN
a) In einer Glasschüssel alle Zutaten vermischen, gut vermischen, abdecken und vor dem Servieren 30 Minuten ruhen lassen. Wenn Sie es nicht sofort verwenden, stellen Sie es bis zur Verwendung in den Kühlschrank.

b) Diese Salsa schmeckt am besten, wenn sie am selben Tag verwendet wird, an dem sie zubereitet wird. Bei richtiger Lagerung ist sie jedoch bis zu 2 Tage haltbar.

88. Chipotle-Tomaten-Salsa

Ergibt: 2 Tassen

ZUTATEN:

- 2 reife Tomaten, gehackt
- 1/3 Tasse gehackte rote Zwiebel
- 1 Chipotle aus der Dose in Adobo
- ¼ Tasse gehackter frischer Koriander
- 2 Esslöffel frischer Limettensaft
- ¼ Teelöffel Salz

ANWEISUNGEN

a) In einer Glasschüssel alle Zutaten vermischen.
b) Bis zur Verwendung im Kühlschrank aufbewahren.
c) Bei richtiger Lagerung ist es bis zu 2 Tage haltbar.

89. Ananas-Papaya-Salsa

Ergibt: 3 Tassen

ZUTATEN:

- 2 Tassen gehackte frische Ananas
- 1 reife Papaya, geschält, entkernt und in ¼-Zoll-Würfel geschnitten
- ½ Tasse gehackte rote Zwiebel
- ¼ Tasse gehackter frischer Koriander oder Petersilie
- 2 Esslöffel frischer Limettensaft
- 1 Teelöffel Apfelessig
- 2 Teelöffel Zucker
- ¼ Teelöffel Salz
- 1 kleine scharfe rote Chilischote, entkernt und gehackt

ANWEISUNGEN

a) In einer Glasschüssel alle Zutaten vermischen, gut vermischen, abdecken und 30 Minuten bei Zimmertemperatur stehen lassen, bevor man es serviert oder bis zur Verwendung in den Kühlschrank stellt.

b) Diese Salsa schmeckt am besten, wenn sie am selben Tag verwendet wird, an dem sie zubereitet wird. Bei richtiger Lagerung ist sie jedoch bis zu 2 Tage haltbar.

90. Tomatillosalsa

Ergibt: 1½ Tassen

ZUTATEN:
- 5 Tomaten, geschält und gehackt
- 1/3 Tasse gehackte süße gelbe Zwiebel
- 1/3 Tasse gehackter frischer Koriander
- 1 kleiner Jalapeño, entkernt und gehackt
- 1 Esslöffel frischer Limettensaft
- 1 Esslöffel ganze Kapern, plus 1 Teelöffel gehackt
- ½ Teelöffel Salz

ANWEISUNGEN
a) In einer Glasschüssel alle Zutaten vermischen und gut verrühren.

b) Vor dem Servieren 30 Minuten ruhen lassen.

c) Bei richtiger Lagerung ist es im Kühlschrank bis zu 2 Tage haltbar.

91. <u>Salsa Verde</u>

Ergibt: 1¼ Tassen

ZUTATEN:

- 4 oder 5 Tomaten, geschält und grob gehackt
- 1 mittelgroße Schalotte, grob gehackt
- 1 Knoblauchzehe, gehackt
- 1 Serrano-Chili, entkernt und gehackt
- 1¼ Tasse frische Korianderblätter
- 1 Esslöffel frischer Limettensaft
- Prise Zucker
- ½ Teelöffel Salz
- 1/8 Teelöffel frisch gemahlener schwarzer Pfeffer

ANWEISUNGEN

a) In einer Küchenmaschine Tomaten, Schalotte, Knoblauch, Chili (falls verwendet), Petersilie und Koriander vermengen und fein hacken.

b) Die restlichen Zutaten hinzufügen und mixen, bis alles gut vermischt, aber immer noch grobkörnig ist.

c) In eine Glasschüssel umfüllen, abdecken und vor dem Servieren 30 Minuten bei Raumtemperatur stehen lassen oder bis zur Verwendung im Kühlschrank aufbewahren.

d) Bei richtiger Lagerung ist es bis zu 2 Tage haltbar.

92. Geröstete rote Salsa

Ergibt: 2 Tassen

ZUTATEN:

- 15 Unzen gewürfelte, über dem Feuer geröstete Tomaten, abgetropft
- 1 Knoblauchzehe, grob gehackt
- ½ Tasse weiße Zwiebel, grob gehackt
- ¼ Tasse frische Korianderblätter
- ½ mittelgroße Jalapeño, grob gehackt
- 1 Esslöffel Limettensaft
- ½ Teelöffel feines Meersalz

ANWEISUNGEN:

a) Zerkleinern Sie den Knoblauch in einer Küchenmaschine, um ihn feiner zu zerkleinern.

b) Die Tomaten und den gesamten restlichen Saft aus der Dose hinzufügen.

c) Zwiebel, Koriander, Jalapeño, Limettensaft und Salz hinzufügen.

d) Verarbeiten Sie die Mischung, bis sie weitgehend glatt ist und keine großen Tomaten- oder Zwiebelstücke mehr übrig sind, und kratzen Sie bei Bedarf die Seiten ab.

e) Servieren Sie die Salsa sofort oder bewahren Sie sie für später auf.

93. Tomatillo-Enchilada-Sauce

1 Esslöffel Pflanzenöl

1 Zwiebel, gehackt

3 Knoblauchzehen, gehackt

1 Pfund Tomaten, geschält und gehackt

1 Jalapeño-Pfeffer, entkernt und gehackt

2 Tassen Hühner- oder Gemüsebrühe

1/4 Tasse gehackter Koriander

Salz nach Geschmack

Öl in einem Topf bei mittlerer Hitze erhitzen. Zwiebel und Knoblauch hinzufügen und ca. 5 Minuten kochen, bis die Zwiebel weich ist. Tomatillos und Jalapeño hinzufügen. 5 Minuten kochen lassen. Unter ständigem Rühren nach und nach Brühe hinzufügen. Zum Kochen bringen und die Hitze auf eine niedrige Stufe reduzieren. 10–15 Minuten köcheln lassen, dabei gelegentlich umrühren. Koriander hinzufügen und in einem Mixer oder einer Küchenmaschine pürieren. Mit Salz abschmecken.

94. Pasilla-Enchilada-Sauce

2 Pasilla-Chilischoten, entkernt und entkernt
1 Zwiebel, gehackt
3 Knoblauchzehen, gehackt
1 Esslöffel Pflanzenöl
1 Teelöffel Oregano
2 Tassen Hühner- oder Gemüsebrühe
Salz nach Geschmack

Pasilla-Paprikaschoten in einer trockenen Pfanne bei mittlerer Hitze etwa 1 Minute pro Seite rösten, bis sie leicht verkohlt sind. Aus der Pfanne nehmen und abkühlen lassen. Paprika in einen Mixer oder eine Küchenmaschine geben und pürieren. Öl in einem Topf bei mittlerer Hitze erhitzen. Zwiebel und Knoblauch hinzufügen und ca. 5 Minuten kochen, bis die Zwiebel weich ist. Oregano hinzufügen und 1 Minute kochen lassen. Unter ständigem Rühren nach und nach Brühe hinzufügen. Zum Kochen bringen und die Hitze auf eine niedrige Stufe reduzieren. 10–15 Minuten köcheln lassen, dabei gelegentlich umrühren. Pürierte Pasilla-Paprika hinzufügen und mit Salz abschmecken.

95. Drei-Pfeffer-Enchilada-Sauce

1 rote Paprika, gehackt

1 grüne Paprika, gehackt

1 Jalapeño-Pfeffer, entkernt und gehackt

1 Zwiebel, gehackt

3 Knoblauchzehen, gehackt

1 Teelöffel Chilipulver

1/2 Teelöffel Kreuzkümmel

2 Tassen Hühner- oder Gemüsebrühe

Salz nach Geschmack

Öl in einem Topf bei mittlerer Hitze erhitzen. Paprika, Jalapeño, Zwiebel und Knoblauch hinzufügen und etwa 5 Minuten kochen, bis das Gemüse weich ist. Chilipulver und Kreuzkümmel hinzufügen. 1 Minute kochen lassen. Unter ständigem Rühren nach und nach Brühe hinzufügen. Zum Kochen bringen und die Hitze auf eine niedrige Stufe reduzieren. 10–15 Minuten köcheln lassen, dabei gelegentlich umrühren. In einem Mixer oder einer Küchenmaschine pürieren. Mit Salz abschmecken.

96. Ancho-Enchilada-Sauce

2 getrocknete Ancho-Chilischoten, entstielt und entkernt
1 Zwiebel, gehackt
3 Knoblauchzehen, gehackt
1 Esslöffel Pflanzenöl
1 Teelöffel Oregano
2 Tassen Hühner- oder Gemüsebrühe
Salz nach Geschmack

Anchopaprika in einer trockenen Pfanne bei mittlerer Hitze etwa 1 Minute pro Seite rösten, bis sie leicht verkohlt sind. Aus der Pfanne nehmen und abkühlen lassen. Paprika in einen Mixer oder eine Küchenmaschine geben und pürieren. Öl in einem Topf bei mittlerer Hitze erhitzen. Zwiebel und Knoblauch hinzufügen und ca. 5 Minuten kochen, bis die Zwiebel weich ist. Oregano hinzufügen und 1 Minute kochen lassen. Unter ständigem Rühren nach und nach Brühe hinzufügen. Zum Kochen bringen und die Hitze auf eine niedrige Stufe reduzieren. 10–15 Minuten köcheln lassen, dabei gelegentlich umrühren. Pürierte Sardellenpaprika dazugeben und mit Salz abschmecken.

97. Guajillo-Enchilada-Sauce

2 getrocknete Guajillo-Chilischoten, entstielt und entkernt
1 Zwiebel, gehackt
3 Knoblauchzehen, gehackt
1 Esslöffel Pflanzenöl
1 Teelöffel Kreuzkümmel
2 Tassen Hühner- oder Gemüsebrühe
Salz nach Geschmack
Guajillo-Paprikaschoten in einer trockenen Pfanne bei mittlerer
Hitze etwa 1 Minute pro Seite rösten, bis sie leicht verkohlt sind.
Aus der Pfanne nehmen und abkühlen lassen. Paprika in einen
Mixer oder eine Küchenmaschine geben und pürieren. Öl in
einem Topf bei mittlerer Hitze erhitzen. Zwiebel und Knoblauch
hinzufügen und ca. 5 Minuten kochen, bis die Zwiebel weich ist.
Kreuzkümmel hinzufügen und 1 Minute kochen lassen. Unter
ständigem Rühren nach und nach Brühe hinzufügen. Zum
Kochen bringen und die Hitze auf eine niedrige Stufe reduzieren.
10–15 Minuten köcheln lassen, dabei gelegentlich umrühren.
Pürierte Guajillo-Paprika hinzufügen und mit Salz abschmecken.

98. Mole-Enchilada-Sauce

2 getrocknete Ancho-Chilischoten, entstielt und entkernt
2 getrocknete Pasilla-Chilischoten, entstielt und entkernt
1 Zwiebel, gehackt
3 Knoblauchzehen, gehackt
1 Esslöffel Pflanzenöl
1/4 Tasse Rosinen
1/4 Tasse Mandeln, gehackt
1/4 Tasse Sesamkörner
1/4 Teelöffel Zimt
1/4 Teelöffel Nelken
1/4 Teelöffel Piment
2 Tassen Hühner- oder Gemüsebrühe
Salz nach Geschmack

Ancho- und Pasilla-Paprikaschoten in einer trockenen Pfanne bei mittlerer Hitze etwa 1 Minute pro Seite rösten, bis sie leicht verkohlt sind. Aus der Pfanne nehmen und abkühlen lassen. Paprika in einen Mixer oder eine Küchenmaschine geben und pürieren. Öl in einem Topf bei mittlerer Hitze erhitzen. Zwiebel und Knoblauch hinzufügen und ca. 5 Minuten kochen, bis die Zwiebel weich ist. Rosinen, Mandeln, Sesam, Zimt, Nelken und Piment hinzufügen. 1 Minute kochen lassen. Unter ständigem Rühren nach und nach Brühe hinzufügen. Zum Kochen bringen und die Hitze auf eine niedrige Stufe reduzieren.
10–15 Minuten köcheln lassen, dabei gelegentlich umrühren. Die pürierte Pfeffermischung dazugeben und mit Salz abschmecken.

99. Salsa Verde Enchilada-Sauce

2 Pfund Tomaten, ohne Schale

1 Zwiebel, gehackt

3 Knoblauchzehen, gehackt

1 Jalapeño-Pfeffer, entkernt und gehackt

1/4 Tasse gehackter Koriander

2 Tassen Hühner- oder Gemüsebrühe

Salz nach Geschmack

Tomatillos in einen großen Topf geben und mit Wasser bedecken. Bei starker Hitze zum Kochen bringen. Reduzieren Sie die Hitze auf eine niedrige Stufe und lassen Sie sie 10–15 Minuten köcheln, bis die Tomaten weich sind. Abgießen und abkühlen lassen. Tomatillos in einen Mixer oder eine Küchenmaschine geben und pürieren. Öl in einem Topf bei mittlerer Hitze erhitzen. Zwiebel, Knoblauch und Jalapeño hinzufügen und ca. 5 Minuten kochen, bis die Zwiebel weich ist. Koriander hinzufügen und 1 Minute kochen lassen. Unter ständigem Rühren nach und nach Brühe hinzufügen. Zum Kochen bringen und die Hitze auf eine niedrige Stufe reduzieren. 10–15 Minuten köcheln lassen, dabei gelegentlich umrühren. Pürierte Tomaten dazugeben und mit Salz abschmecken.

100. <u>Grüne Chile-Enchilada-Sauce</u>

2 Dosen (je 4 Unzen) gewürfelte grüne Chilis
1 Zwiebel, gehackt
3 Knoblauchzehen, gehackt
1 Teelöffel Kreuzkümmel
2 Tassen Hühner- oder Gemüsebrühe
Salz nach Geschmack
Öl in einem Topf bei mittlerer Hitze erhitzen. Zwiebel und
Knoblauch hinzufügen und ca. 5 Minuten kochen, bis die Zwiebel
weich ist. Kreuzkümmel hinzufügen und 1 Minute kochen lassen.
Unter ständigem Rühren nach und nach Brühe hinzufügen. Zum
Kochen bringen und die Hitze auf eine niedrige Stufe reduzieren.
10–15 Minuten köcheln lassen, dabei gelegentlich umrühren.
Gewürfelte grüne Chilis dazugeben und mit Salz abschmecken.

ABSCHLUSS

Enchiladas sind ein klassisches und schmackhaftes Gericht, das von vielen Menschen auf der ganzen Welt genossen wird. Mit ihren endlosen Möglichkeiten für Füllungen, Saucen und Toppings können sie individuell an jeden Geschmack angepasst werden. Egal, ob Sie eine Füllung auf Fleischbasis oder eine vegetarische Variante bevorzugen, es gibt für jeden das passende Enchilada-Rezept. Wenn Sie also das nächste Mal Lust auf eine herzhafte und sättigende Mahlzeit haben, denken Sie über die Zubereitung köstlicher Enchiladas nach und lassen Sie Ihren Gaumen verwöhnen.

www.ingramcontent.com/pod-product-compliance
Ingram Content Group UK Ltd.
Pitfield, Milton Keynes, MK11 3LW, UK
UKHW021426140225
4603UKWH00016B/104